D1542764

THALITA REBOUÇAS

EDIÇÃO AMPLIADA

Direitos desta edição reservados à
EDITORA ROCCO LTDA.
Av. Presidente Wilson, 231 – 8º andar
20030-021 – Rio de Janeiro, RJ
Tel.: (21) 3525-2000 – Fax: (21) 3525-2001
rocco@rocco.com.br
www.rocco.com.br

Printed in Brazil/Impresso no Brasil

Preparação de originais: PAULA DRUMMOND

CIP-Brasil. Catalogação na fonte.
Sindicato Nacional dos Editores de Livros, RJ.

R242f Rebouças, Thalita, 1974-
3. ed. Fala sério, mãe! / Thalita Rebouças. – 3ª ed. – rev. e ampl.
– Rio de Janeiro: Rocco Jovens Leitores, 2017.
Inclui Sumário

ISBN 978-85-7980-383-3

ISBN 978-85-7980-384-0 (e-book)

1. Ficção infantojuvenil brasileira. I. Título.

17-44219 CDD-028.5 CDU-087.5

Este livro obedece às normas do Acordo Ortográfico da Língua Portuguesa

Impressão e Acabamento: Intergraf Ind. Gráfica Eireli

Fala sério, mãe!

Sumário

Na Barriga

Conversando com o neném que vai chegar

Quando você era só um amendoim crescendo dentro do meu útero, eu já tinha certeza de que você seria uma menina. Uma linda menininha. Aí você aumentou de tamanho, a barriga aumentou de tamanho... e eu também. Fiquei redonda, o nariz alargou (desfigurou seria mais apropriado, mas eu estou grávida, grávidas podem tudo, eu prefiro "alargou" e não se fala mais nisso), a pele deu uma manchada, os pés estufaram – o que me levou a perder quase todos os meus sapatos – e as costas passaram a doer como se eu fosse uma estivadora.

Mas, apesar disso, as pessoas em volta não se cansam de dizer como estou bonita, como irradio luz. Gente bacana... sim, porque a partir do sétimo mês, eu comecei a me achar um bujão de gás em forma de gente e lamentei em silêncio por todas as abdominais perdidas e calorias gastas na academia. E pensar que um importante mistério será decifrado com o nascimento da minha pequerrucha:

para onde vai toda essa barriga que eu ganhei? Que aspecto terá a pele dessa região? Ficará murcha e enrugada depois do parto?

Quer saber? Nada disso realmente importa. Além de ver seu rostinho e seu corpinho saudáveis, tenho apenas uma curiosidade, quase que jornalística. Como é um parto? É ou não é igual a parto de novela? Será que é aquele suadouro? Aquela fooorça? Como surgiu essa ideia de ninguém contar um parto em detalhes? É sempre "lindo", "muito emocionante", "a dor é grande, mas vale a pena... ..."nenhuma mulher quantifica essa dor ou dá pistas sobre ela. "É uma cólica muito forte." Tudo bem, a frase realmente diz bastante, mas não é tudo. Como é na hora H? Em que a cabeça sai, os bracinhos, todo o resto... quanto tempo vai demorar? O que eu vou sentir, pensar? Vou chorar quando você chorar? O que sentirei quando finalmente vir o seu rosto? Será que vou conseguir segurar no colo alguém tão frágil? Dá um medo...

Seu pai já avisou que não vai assistir ao parto. Vem dizendo isso desde que descobrimos que tínhamos feito você. Não fique triste, homens são meio frescos para sangue, mesmo. Mas o papai te ama muito e vive alisando a minha barrigona para conversar com a filhota dele.

Aliás, o mundo resolveu alisar a minha barriga, até a vizinha do 203, aquela megera desalmada. Agora a dita-cuja me ama. Só porque eu estou esperando neném. Mas tudo bem. Logo no primeiro mês descobri que barriga de grávida não tem dono, é do povo. É praticamente uma revista de sala de espera, todo mundo (todo mundo mesmo, inclusive gente com quem não tenho a menor intimidade) se sente tentado a passar a mão.

Bom, agora é só esperar. E aproveitar o tempo que sobra para usufruir os últimos dias de paparico a que tenho direito. Taí uma parte boa da gravidez. Parece que todo dia é o dia do meu aniversário: os amigos telefonam, visitam, dão presentes, flores, comidinhas...

Prometo que tentarei administrar com tranquilidade a contagem regressiva e essa ansiedade que me sobe no peito. Falta só mais um pouquinho e, para quem já esperou tanto, não vai ser difícil. Tenho certeza, Maria de Lourdes, de que vamos ter uma relação linda, cheia de carinho, amizade, compreensão e diálogo. E eu juro que vou fazer de tudo para criar você da melhor forma possível.

Mas nasce rapidinho, tá?

5 meses

Entre germes e bactérias

– Parabéns pra você, nesta data querida, muitas felicidades, muitos anos de vida! Viva a Maria de Lourdes! Êêê!

– Êêê! – Ela sorriu, deixando à mostra a gengiva mais linda do mundo.

Comemoração pelos cinco meses da minha pequena. Eu mesma soprei as velinhas do bolo enquanto ela balbuciava coisas do tipo gugu dadá. Minha filhota está tão gostosa! Infelizmente não posso dizer o mesmo sobre mim. Meu corpo continua igual a uma lasanha (quadrado e compacto) e minha barriga ainda não voltou para o lugar, o que levou o Armando a me chamar carinhosamente de "meu tribufu". Um doce de marido, isso é que é incentivo. O pior é que ele acha que entende tudo de mulher, imagina se não entendesse.

Além de sentir na pele a trabalheira que dá cuidar de uma criança, em cinco meses aprendi uma importante lição: mãos de neném são um território proibido, um campo minado, ninguém,

ninguém devia se atrever a tocá-las. Pena que só quem tem filho sabe essa regra. Claro, nenhuma pessoa é obrigada a saber. Mas mães de primeira viagem não suportam, odeiam, viram fera quando alguém diz: "olha que neném mais lindo!" sacudindo a mãozinha do bebê em questão. Não pode! Além de não ter anticorpos, neném vive com a mão na boca. Mas parece que nada disso é óbvio.

Hoje, no salão, a simpática moça do balcão, que passa o dia lidando com dinheiro (existe coisa mais imunda?), pegou a mão da Maria de Lourdes umas 574 vezes. Pegou com vontade. Apertou os furinhos, beijou, apertou de novo, acariciou, esfregou e, terror dos terrores, mordiscou. Mordiscou! Quase tive um ataque. E o pior é que, como sempre acontece nessas ocasiões, precisei fingir que estava tudo nos conformes, que nem era comigo, que eu nem estava beirando a insanidade, morrendo de vontade de berrar: "Larga a mão da minha filha, seu armazém de protozoários! LARGA!"

Não fiz nada disso, continuei me controlando bravamente, até porque foi preciso. Logo chegou uma manicure, que trabalha com cutículas, espigões e, irc, pés e mãos alheios. A moça foi muito agradável, mas mal falou comigo. Foi logo tascando um beijo na bochecha da Maria de Lourdes.

– Ai, filhinha, que lástima! Mil desculpas... queria tanto poder tirar essa baba gosmenta do seu rosto, mas agora não vai dar, aguenta mais um pouquinho – sussurrei no ouvido de Maria de Lourdes.

Sei que pode parecer desatino, mas enquanto a tal manicure falava, tudo o que eu conseguia ver era a enxurrada de vermes, bactérias, vírus e cuspe que saíam de sua boca. "Quando essa mulher vai virar as costas para que eu possa desinfetar as mãos e a bochecha da Maria de Lourdes? Quando?"

Ah, sim. Eu transformei meu borrifador de água, que usava para molhar os cabelos antes de fazer escova, em borrifador de água filtrada para limpar a minha bebê das impurezas do mundo. É só a pessoa pegadora de mãos virar as costas que ele entra em ação. Rápida como uma pistoleira, saco meu borrifador da bolsa e, em questão de segundos, limpo toda a sujeira e me sinto a mãe mais cuidadosa e limpinha do mundo.

Sei que já tem gente me chamando de paranoica pelas costas. E daí? Ninguém paga as minhas contas, ninguém tem nada a ver com a minha vida e com os meus hábitos. Isso não é paranoia, é amor, é zelo, é cuidado, é higiene. Mas não sou eu que vou ficar dizendo isso para as pessoas. O que eu gostaria de ensinar a elas é que em criança pequena a gente só faz carinho na cabecinha, e olhe lá!

Ou será que estou sendo paranoica? Se estiver, tudo bem. Mães de primeira viagem podem tudo.

1 ano

Palavras balbuciadas ao vento ou diálogos que só mães entendem

– Naná.

– Minha pequerrucha quer dormir? Vem, mamãe te leva.

Dada a resistência corporal, perguntei:

– Neném não quer dormir?

– Mamá.

– Quer comer, filha? Por que não disse antes?

– Mamá!

– Já vai, mamãe vai te dar o peito, sua gulosa.

– Cocô.

– Quer ir ao banheiro antes? Filha, você quer comer ou ir ao banheiro? Já sei! O que a senhorita quer é ver os novos azulejos, não é? Ficaram lindos, mamãe tem muito bom gosto.

– Mamã.

– Hã? O quê? Como? O que você falou? Ah, Maria de Lourdes, assim você mata a mamãe do coração. Armando! Corre aqui! Nossa filha disse "mamãe"! Repete, filha! Só mais uma vez.

– Papá.

2 anos

Não!

Por mais que passe 99% do meu dia tentando fazer com que Maria de Lourdes diga mamãe, ela ainda não aprendeu. Além de um "papá" que beira o insuportável e deixa o Armando todo prosa, o único som que ela emite e forma uma palavra inteligível é "não". Por conta disso, os, digamos, diálogos dentro de casa têm sido, assim, meio tensos.

– Você ama a mamãe?

– Não.

– E o papai?

– Não.

Ainda bem. Se não me ama não pode amar o pai. Ai dela se dissesse sim!

– Dá um beijo bem gostoso na mamãe?

– Não.

– E um abraço?

– Não.

– Você gosta que a mamãe te faça cafuné?

– Não.

– Você gosta do Fluminense?

– Não.

– Como não? Não diga isso perto do seu pai, ele ficará magoadíssimo, o Fluzão, tantas vezes campeão, é nosso time do coração! Não importa a divisão!

– Nããããããão!

– Está bem, está bem. Hum... você sabe o que quer dizer "não"?

– Não.

Devo confessar que a pediatra já havia me dito que ela ainda não entende o que diz, mas não custava nada confirmar.

3 anos

Briga de irmão

Com o nascimento do Mário Márcio no ano passado tive de dar um gás no trabalho. O dinheiro que eu ganhava passou a ser pouco para alimentar duas crianças e dois adultos. Decidi correr atrás de clientes maiores oferecendo o serviço de assessoria de imprensa, um trabalho que pode ser feito em casa, sem maiores danos à minha vida de mãe e dona de casa.

Mas Mário Márcio não deixa ninguém trabalhar. Tudo o que Maria de Lourdes teve de quietinha, Mário Márcio tem de chorão, manhoso, grudento, agitado. Virou meu xodó, mas às vezes cansa. O menino exige demais de mim. E não tem se dado muito bem com a irmã.

– Mãe, o Máio Máxio pegou minha bola.

A reclamação tem hora para começar: acontece sempre que estou no meio de um raciocínio, no meio de uma frase. Para não perder a concentração no trabalho, costumo responder:

– Ele é pequeno, esquece isso e vai brincar de outra coisa.

Mas quem disse que eu tenho sossego? Dali a cinco minutos...

– Ele pegou minha boneca.

– Você tem várias, é só pegar outra e não se apoquentar, você já é uma moça, precisa dar o exemplo.

– Ele pegou o meu urso.

– Então pega o aviãozinho dele.

– Ele quebrou minha boneca preferida.

– Quebra o foguete preferido dele!

– Ele pegou meu sorvete. E meu chapéu e minha espada. E meu livro, e meu balde de praia, e minha bolsa, e meu anel. E minha bola de vôlei.

– O que você quer que eu faça, Maria de Lourdes, o quê? Eu não sei o que fazer! Estou aqui tentando trabalhar e você vem de cinco em cinco segundos reclamar de alguma coisa. Quer saber? Vai lá e tira tudo do seu irmão! Lute pelos seus objetivos, brigue pelos seus pertences, o mundo já está cheio de moscas-mortas, não precisa de mais uma! Cadê a sua iniciativa? Será que precisa de mãe para tudo? Você não pode virar uma menina pamonha! E quando eu não estiver mais aqui para ajudar você?

Caramba! Pelo ondular das sobrancelhas e pela mudança em câmera lenta da fisionomia, eu sabia o que estava por vir. Droga! Exagerei na dose. De novo. Que coisa mais difícil educar!

– Buáááááá! Buááááá! Buáááááááááá!

– Ai, filha, vem cá! Que mãe estúpida você tem. Desculpa, vem cá, desculpa... *Nana neném, que a cuca vem pegar*...

– Não quero dormir!

– O que você quer, então, Maria de Lourdes? Mamãe precisa trabalhar para poder comprar mais brinquedos para o seu irmão não ter de pegar os seus.

– Então tá. Tchau, mãe. Vou brincar com o Máio Máxio.

Primeiro dia de aula

Hoje eu levei Maria de Lourdes para seu primeiro dia de aula. Com o coração apertado, andei até o colégio de mãos dadas com ela, era chegada a hora de a pequerrucha largar a barra da minha saia para conviver socialmente com outras crianças, mas... ela é tão pequetita! Será que vai gostar dos outros alunos? Será que vai saber conversar, interagir com eles? Como irá se comportar diante de novos rostos? Como reagirá à ausência do pai e da mãe?

Quando começamos a subir os degraus da escola, ela abriu um sorrisinho gostoso e seus olhos cintilaram com tanta novidade em volta. No Jardim de Infância, apresentei-me para a tia Angélica, que seria a responsável pela turma de Maria de Lourdes.

Enquanto conversava com a professora, percebi que minha filha é a desinibição em pessoa. Eu, ali, cheia de aflição e lágrimas nos olhos, morta de pena de entregá-la a uma desconhecida pelas próximas quatro horas, e ela já completamente enturmada com os coleguinhas, rindo, brincando e papeando como se os conhecesse há tempos e não há segundos. Fiquei orgulhosa, afinal, era um dia importante e ela estava se saindo muito bem.

Despedi-me com uma bitoca. Achei que seria uma despedida de cinema, afinal, era a primeira vez que passaríamos tanto tempo longe. Mas foi uma despedida bem mixuruca. Depois de dar nela vários beijos apertados tentei prolongar o abraço o mais que pude, mas...

– Tá bom, mãe! Chega de beijo! A tia está chamando, tchau.

Num misto de emoção e surpresa, descobri que tenho uma filha muitíssimo sociável. Depois de me despedir, não resisti e fiquei escondidinha atrás de umas árvores, espiando sua adaptação, seu comportamento, vendo se ela choraria com saudade de casa... muitas crianças abriram o berreiro, mas não Maria de Lourdes. Parecia uma mocinha, muito educada, quietinha, independente e, fofura das fofuras, até consolou alguns colegas chorões. Desenvolta, natural, carismática... em pouco tempo a turma inteira estava ao seu redor. E eu, do meu canto escondido, assistia a tudo em silêncio, babando, cheia de orgulho, hipnotizada por aquela menininha simpática e encantadora, a minha filha.

Ela não estava chorando, mas eu...

Por quê?

– Mãe, por que o papai tem que sair agora?

– Porque ele precisa trabalhar.

– Por quê?

– Para ganhar dinheiro.

– Por quê?

– Para poder comprar leitinho.

– Por quê?

– Porque a Maria de Lourdes adora.

– Então tá. Diz para ele que ele pode ir.

À noite, Armando chegou em casa e, mal bateu a porta, ouviu da pequena:

– Oi, pai. Cadê o meu leitinho?

– Leitinho? Que leitinho, boneca?

– Trabalhou?

– Trabalhei.

– Ganhou dinheiro?

– Ganhei.

– Então... cadê o meu leitinho?

4 anos

Na ponta dos pés

Sempre achei balé a coisa mais linda do mundo. Meu sonho era ser bailarina, mas as professoras diziam que eu não tinha uma "linha de perna" bonita. Meu alongamento também não era dos melhores e, nas apresentações de fim de ano, só me escalavam para ficar escondida na última fila. Gostava tanto de bailarinas que vestia minhas bonecas como se elas fizessem parte do corpo de baile do Municipal.

Cresci e vi com meus olhos o que até minha mãe vivia me alertando: eu não tinha o menor jeito para o balé. Parti rumo ao jazz, depois enveredei pelas danças moderna e contemporânea, aprendi sapateado e há um ano faço dança de salão, duas vezes por semana, com o Armando, o oposto do pé de valsa. E pior, além de o homem massacrar meus joanetes, ele me mata desafinando nos meus ouvidos. Para ele, dançar é cantar, cantar é dançar.

Por sonhar desde sempre com a carreira de bailarina, não economizei um centavo sequer para comprar os apetrechos para as aulas de Maria de Lourdes, que começam hoje. Estou absurdamente feliz por poder realizar um sonho com a minha filha. Dizem que é errado pensar assim e tudo o mais, quando minha analista souber disso vai me matar. Mas não estou nem aí. Não pode ser tão ruim uma mãe querer que os filhos sigam os passos que ela não conseguiu dar, por incompetência ou pelas armadilhas do destino.

Maria de Lourdes apareceu na porta do quarto, pronta para a aula. Parecia uma princesa, um anjo caído do céu, uma heroína de história em quadrinhos, uma protagonista de peça da Broadway. Linda, linda, linda.

– As sapatilhas machucam, a meia esquenta, a roupa me aperta e eu não quero essa rede no meu cabelo. Quero tirar tudo.

Uuups! Estava meio irritada a Maria de Lourdes. E me disse isso do seu modo, com uma tromba imensa, as mãos na cintura, batendo a bundinha na parede, sem sequer pensar na dor que aquelas palavras podiam me causar.

Percebi que teria problemas. Contornei a situação contando que, quando eu tinha sua idade, também usava roupas de balé, mas me sentia bonita e feliz com elas. Argumentos idiotas, completamente idiotas. Mas pelo menos convenci a dona Encrenquinha a não tirar a indumentária.

Entramos no carro, botei uma música animada, contei piadas, mas nada. Nada arrancava um sorriso daquela criança. Maria de Lourdes fez questão de me mostrar durante o percurso até a academia que era a pessoa com menos de um metro mais emburrada do mundo.

Tudo bem, eu devia esperar isso dela. Meses atrás, seus padrinhos levaram-na a uma loja para que ela escolhesse um presente. Perguntaram o que ela preferia, uma roupa de Branca de Neve, uma da Pequena Sereia ou uma da Cinderela. Soube que ela respondeu aos pulos, aos urros, com uma alegria infindável:

– Super-Homem! Eu quero a do Super-Homem!

Quando nossos compadres chegaram com aquela versão anã de super-herói, conformei-me. Vi que não era daquela vez que veria minha mocinha vestida como mocinha. Logo eu, que sempre quis ter menina para brincar de boneca de novo, para deixar a criança emperiquitada. Também sei que isso é errado, mas dou de ombros. Depois, juro, tento resolver na análise.

A verdade é que, sem querer bancar a mãe babona, minha filhota ficou uma graça de super-herói. Pena que a fantasia é um martírio para quem usa, super em todos os sentidos: superquente, superpesada, superincômoda, dá trabalho para botar, para tirar... Mas ela adorou, passou a se apresentar para todos como "Super-Homem".

Foi duro para uma mãe perua e bailarina frustrada como eu (Frustrada! Frustrada, sim! Eu assumo!) ver o desânimo no semblante da minha filha com a roupinha de balé. Ela era infinitamente mais feliz nos tempos de super-herói.

Mas não tem nada de mau querer que ela conheça as maravilhas da dança para que tire suas próprias conclusões, tem? Não vou deixar que uma implicância boba com a roupa tire dos palcos uma Ana Botafogo da vida. Ah, vai que a Maria de Lourdes vira uma

Ana Botafogo! O que é que tem eu sonhar com isso? Nunca se sabe, nada é impossível.

Chegamos à academia. Como o bico permanecia intacto, tentei mais uma vez:

– Você está tão linda! Vá fazer sua aula que mamãe fica aqui esperando.

Engoli a frase que gostaria de ter dito em seguida, que era "Mamãe vai ser a mãe mais feliz do mundo se você gostar da aula. Mamãe AMA balé". Se tivesse dito, deveria tomar vergonha na cara e emendar: "Mamãe é péssima mãe! Péssima mãe!"

Ter esse tipo de pensamento é mais forte que eu. Por pouco também não gritei antes que ela entrasse na sala: "Se você gostar da aula, mamãe deixa você tomar milk-shake antes do jantar, finjo que nem é comigo." Ainda bem que não falei, pois me culparia até o fim dos meus dias.

Pela janelinha de vidro, espiei de soslaio, para não deixá-la encabulada. Entre *pliés*, *developés* e *grand-écarts*, sua fisionomia permanecia dura, intacta, a testa franzida. A professora pedia graça, leveza nos movimentos, mas sua falta de motivação e a total ausência de boa vontade não colaboravam nada. No meio de meninas magricelas que levavam a aula a sério, minha filha parrudinha parecia um hipopótamo bêbado numa vidraçaria, era a versão feminina e pequena do Frankenstein aprendendo balé. Seus gestos, seus movimentos, seus chutes, tudo era muito duro, muito sem jeito.

Saiu da aula marchando, mais emburrada do que quando entrou, arrancando dos cabelos a rede, os grampos, o gel e todo o coque superelaborado que levei horas preparando. Tudo bem, tudo bem. Não vai ser difícil me acostumar com a ideia de que ela odeia balé. Sonho muitas outras coisas para a minha filha.

– Aula chata, professora chata, todas as meninas chatas. Balé é chato – resumiu seus sentimentos sobre dançar na ponta dos pés.

Está bem, não sonho mais. A partir de agora vou torcer. Torcer para que ela seja uma grande médica ou uma excelente violoncelista, acho lindo violoncelo. O problema é o dinheiro – músicos neste país, infelizmente, ganham uma mixaria.

Mas nada importa mais na minha vida do que ver um sorrisinho de volta ao rosto mais lindo do mundo. Por isso, matriculei-a na aula de judô que acontecia na sala ao lado e fisgou sua atenção de forma impressionante. Minha baixinha parecia hipnotizada ao acompanhar os golpes e os ensinamentos de mestre Shing à turma. Agora, além de nadar como um peixinho, minha maravilhosa quer ser uma grande judoca, e vai para as Olimpíadas, tenho fé.

Ai, ai, ai, eu de novo pensando bobagem! O que quero mesmo é que Maria de Lourdes seja feliz na escolha que fizer para sua vida. Além do mais, ela ficou um espetáculo de quimono. Linda, linda, linda.

O pum

Filhos são uma caixinha de surpresas. Quando Mário Márcio tinha dois aninhos, descobri, num elevador, que seu pum não era um pum que as pessoas esperam de um bebê. Pum de criança pode ser barulhento como motor de carro de Fórmula 1 e muito, muito fedorento mesmo.

Estava no elevador do prédio do médico, com ele e Maria de Lourdes a tiracolo e minha barriga de sete meses de gravidez pesada como um urso. (Sim, engravidei de novo, e esta é a última vez.) Como frequentava o consultório do doutor Murilo havia um bom tempo, desde o nascimento de Maria de Lourdes, eu conhecia o ascensorista, o porteiro do prédio, o moço da manutenção... todos sempre me deram bom dia e boa tarde. A partir desse dia que narrarei a seguir, eles continuaram um poço de educação, mas nunca deixei de ouvir os risinhos que davam pelas minhas costas.

Eram quatro da tarde, eu estava atrasada, Maria de Lourdes chorando porque queria um brinquedo, Mário Márcio chorando por chorar e eu chorando com carrinho, bebê de colo, minha bolsa e bolsa do neném, tudo me atazanando ao mesmo tempo.

Pois bem, eis que perto do sexto andar (o do médico era o décimo segundo), o moleque resolveu soltar um pum. Não um, com o perdão da chula e imperdoável (porém insubstituível) palavra, peidinho proporcional ao seu tamanho, mas um daqueles enormes, barulhentos, com cheiro de enxofre. Na mesma hora eu reagi: "Meu filho, que falta de educação!"

Com os olhares cada vez mais voltados para mim, fiquei acuada e ruborizei ao perceber que ninguém ali acreditara que o pum não era meu. Para completar, Maria de Lourdes perguntou, com aquela irritante sinceridade infantil:

– Você soltou um pum, mamãe? Foi você? Rá rá, mamãe soltou um pum enorme! E tá dizendo que foi o Mário Márcio!

– Que soltei pum, o quê? Para com isso, olha o respeito!

– Mamãesoltoupum, mamãesoltoupum, mamãesoltoupum, larará, mamãesoltoupum, larará!

– Que "larará", Maria de Lourdes? Que musiquinha esdrúxula é essa? Cala essa boca – disse, entre os dentes, morta de vergonha.

Cínica, ela ignorou minha bronca e repetiu a tal musiquinha cada vez mais alto, cada vez mais rápido, só para me irritar. Eu rezando para chegar o décimo segundo e o elevador devagar como nunca.

O pior constrangimento foi ver todo mundo que saía me lançar aquela olhadinha sem-vergonha, do tipo "ô, madame, não podia segurar esse? Só mais seis andares? Tsc, tsc, tsc, que vexame, ainda bota a culpa no neném".

Filhos… como são adoráveis!

5 anos

Hora de dormir

Hoje o dia foi cansativo. Maria de Lourdes pre-ci-sa dormir logo, estou com um sono incontrolável, mal vou conseguir cantar para ela. Aliás, esse negócio de mãe virar cantora depois de nascimento de filho é um terror. Sempre fui a desafinação em pessoa, nunca decorei uma letra de música, canto tudo errado e fora de tom, minha voz é péssima. Cantar, para mim, é um tormento. Mas mãe é mãe e precisa cumprir seus deveres.

Sentei na cama e comecei a cantarolar a primeira cantiga de ninar que me veio à cabeça: "Jurucutu Marambaia, tu hoje não venhas cá/ Porque a Maria de Lourdes diz que vai te matar/ Sai, gato preto, de cima do telhado/ Deixa a Lourdinha dormir sossegada."

Com os olhos arregalados, ela me mandava o recado, simples e direto: "Prepare-se, não vou dormir tão cedo." E ainda puxou conversa:

– Mãe...

– Aqui – respondi, sonolenta.

– Por que é que o céu tem estrelas?

Como assim esta menina me pergunta isso a essa hora? Logo agora que não estou raciocinando!

– Hum... é... porque...

Preciso fazer algo, preciso fazer algo! O que é que eu faço para ela dormir? O quê? Já sei!

– Ssshhh! Sshhh! Sshhh! Sshhh! Sshhh! Sshhh! Sshhh! Vamos dormir, Maria de Lourdes, vamos dormir, amanhã a gente pensa nas estrelas. Sshhh! Sshhh! Sshhh! Olha o boi! "Boi, boi, boi/ Boi da cara preta/ Pega esta criança que tem medo de careta."

Pois, sim! Minha lindinha não demonstrava nenhum sinal de cansaço, de sonolência. Como continuava a me fitar sem piscar e meu sono só aumentava, tive uma ideia que poderia acelerar o processo que a levaria a um sono profundo.

Pus uma das mãos sobre seus olhinhos e comecei a acompanhar com os dedos o ritmo das cantigas, mantendo cerradas, à força, suas pequenas pálpebras. Cantei "Atirei o pau no gato" e outras músicas nonsense (e muitas vezes perversas) do cancioneiro infantil.

A técnica não funcionou como eu gostaria. A pequerrucha demorou mais de uma hora para cair no sono. Algumas vezes, senti que ela fazia força para abrir os olhinhos. Cruel, fingi que não entendia e deixei meus dedos vencerem de lavada a batalha com as pálpebras. Resultado: consegui o que queria, mantê-la de olhos fechadíssimos durante todo o tempo.

Quando ela, enfim, adormeceu, dei um beijo na sua bochecha e fui, feliz, para debaixo do meu edredom dormir o sono justo das mães. E, melhor parte dessa história, tive um sonho ótimo. Sonhei que eu acordava com a voz idêntica à da Maria Bethânia e um repertório bem mais vasto do que as quatro ou cinco canções de ninar que conheço. Tudo decoradinho na minha cabeça. Sonho meu! Maria de Lourdes bem merecia que ele se tornasse realidade.

Maria de Lourdes?

– Mãe, por que meu nome é Maria de Lourdes?

– Porque mamãe acha esse nome lindo. O nome mais lindo do mundo.

– Mas por que de Lourdes? Você não se chama Ângela? Se eu sou sua filha devia me chamar Maria de Ângela.

– Ah, que gracinha... Mas não é assim que funciona, querida. O nome é Maria de Lourdes.

– Por quê?

– Porque sim! O nome é assim, Maria de Lourdes, e ponto final.

– Quem disse?

– Um monte de gente disse.

– A minha amiga da pracinha se chama Maria Luiza, a do colégio Maria Eduarda e o meu irmão se chama Mário Márcio. Por que eles não se chamam Maria de Luiza, Maria de Eduarda e Mário de Márcio?

– Ai, Maria de Lourdes... porque o nome deles é assim.

– E por que o meu nome é Maria de Lourdes?

Caramba! Que criança insistente!

– Porque existe uma santa, chamada Maria, que apareceu em Lourdes, uma cidade lá longe, na França. Por isso várias meninas têm esse nome.

– Eu sou da França?

– Claro que não, que bobagem! Você é do Rio de Janeiro.

– Então posso trocar meu nome para Maria do Rio? Ou, quem sabe, Maria da Praia? Adoro praia.

– Maria da Praia? Que nome medonho! Maria de Lourdes é tão lindo...

– Você se chama Ângela de Lourdes?

– Não, Maria de Lourdes. Que papo mais chato!

– Então por que eu sou obrigada a me chamar Maria de Lourdes? Eu nem sou santa!

– Ah, isso você não é mesmo!

– Posso trocar de nome?

– Não. Ninguém troca de nome.

– Então eu vou pedir para todo mundo me chamar de Malu. Gosto muito mais.

– Ai, Maria de Lourdes, que ideia boba, seu nome é tão forte, tão bonito...

– Maria de Lourdes, não, mamãe. Malu.

6 anos

O primeiro amor

– Mãe, eu estou namorando.

– O quê? Como? Quem? Desde quando?

– O Guilherme Almeida.

– Quem é esse Guilherme Almeida? É da sua sala?

– Eu amo o Guilherme Almeida, mãe. Amo.

– Calma, filha, vamos conversar.

Meu Deus, como assim "amo"? Esta pirralha tem seis anos! Ela só pode amar a mim, ao pai e aos irmãos! Tentei agir naturalmente.

– E o Thiago Balazartes?

– Agora eu não estou mais com o Thiago Balazartes. Decidi ficar só com o Guilherme Almeida.

– Vamos por partes, Maria de Lourdes. Várias perguntas: o que é "estar" para você? Antes você "estava" com os dois? Minha filha, aprenda: nunca com dois, sempre com um só.

– Eu gosto mais do Guilherme Almeida.

– Espera aí! Guilherme Almeida não é o ogro? Aquele menino calado, que vive emburrado, parece de mal com a vida?

– Ele não é nada disso, mamãe. Ele só é intenso.

Calma, nessas horas não se pode mostrar para a criança que você está absolutamente chocada com o diálogo. E, principalmente, com as palavras usadas no diálogo.

– Quem te disse isso, Maria de Lourdes?

– Ninguém. Foi a psicóloga do colégio que disse isso para ele e para a mãe dele.

– Mas você vai trocar o Thiago Balazartes, que é uma graça, todo bonito, loirinho, corte de cabelo na última moda, pelo ogro?

– Eu não ligo para aparência. Para mim o que importa é o que está dentro da pessoa.

Dorme com essa!

Achei muito engraçadinho e instiguei.

– E o que está dentro do Guilherme Almeida?

– Uma beleza enorme, mamãe. Eu estou fascinada pelo Guilherme Almeida e, a partir de hoje, só namoro com ele.

Que linda! Quase chorei com o "fascinada". Ensinar os filhos a gostar de ler desde pequenos dá nisso. Bom demais. Não resisti e perguntei:

– E como é esse namoro? Tem beijo?

– Dâââ! Claro que não! Eu sou tímida...

– E como é que vocês namoram, então?

– Só eu namoro ele. Ele nem sabe. Ninguém sabe. E isso é um segredo nosso, tá, mãe?

– Pode deixar. Não conto para ninguém.

– Tá.

Dito isso, a danada virou-me as costas e foi para o quarto. Antes, eu quis saber, só por saber:

– Você… você ama a mamãe?

– Dâââ! Claro, né, mãe? Adulto faz cada pergunta…

A primeira bicicleta

– Mãe, me dá uma bicicleta?

– Não.

– Por quê?

– Porque não é seu aniversário nem nada.

– Eu quero uma bicicleta...

– Entendi, querida, mas é um presente grande... a gente te dá no Natal, tá?

– Tá.

No dia seguinte...

– Mãe, a Gisela aqui do prédio ganhou uma bicicleta ontem. E não era Natal nem nada.

– Olha só... que sorte da Gisela.

Um dia e uma noite depois...

– A Maria Antônia ganhou uma bicicleta. Está andando na Lagoa todo dia com os pais. Acho que todo mundo no mundo inteiro anda de bicicleta na Lagoa. Menos eu...

Fiquei com peninha. Peninha nada, meu coração esmigalhou--se, mas…

– Querida, já conversamos sobre isso, agora não vai dar. A Malena ainda está com quatro meses, bebê é sempre uma despesa danada… sem contar que, se eu der para você agora, seu irmão também vai querer… Posso tentar antecipar o presente para o Dia das Crianças, combinado?

– Combinado! – ela vibrou, alegre e saltitante.

– Tentar.

– Tá.

Algumas horas depois…

– Mãe, sabia que bicicleta faz bem para a saúde?

Não acreditei. Menininha insistente.

– Sabia, filha.

Uma hora se passou e…

– Mãe, sabia que tem bicicleta para alugar na Quinta da Boa Vista, na Lagoa e na praia? Quero te dizer que eu não me importo de andar de bicicleta alugada…

– Filhota, a mamãe não tem como te dar um presente desses agora. Não quero que você seja uma criança mimada, não insista.

– Não sou mimada. E não estou insistindo. Eu só quero uma bicicleta.

– Já entendi, filha. No Dia das Crianças, tá?

– Arrã – concordou, antes de ir para o play.

No dia seguinte, chegou do colégio e me deu um beijo.

– Oi, mãe.

– Oi, filha.

– Vou para o quarto.

– Tá bom, linda.

– Tchau.

E mais não disse. Também, não precisava. Seus olhos e seu semblante disseram tudo e me convenceram no ato a lhe dar o tão suplicado presente o quanto antes.

É que Maria de Lourdes já estava ficando com cara de bicicleta.

8 anos

Discussão ocular

Quando soube que seria mãe, decidi que educaria minha filha da seguinte forma: não repetiria os erros de minha mãe, apenas seus acertos. Simples assim. Lembro sem saudade dos tempos de criança em que já me considerava gente. Ela fazia questão de não me deixar decidir nada. Em público, então, tratava-me como se eu fosse uma criança sem vontade e opinião própria. No final, eu tinha sempre de acatar suas decisões e odiava isso. Cresci tendo a certeza absoluta de que jamais opinaria pelos meus filhos, jamais.

Pois bem. As coisas mudam e, infelizmente, devo admitir que me vi fazendo com a minha filha o que mais odiava que fizessem comigo.

Como Maria de Lourdes estava vendo televisão cada vez mais perto do aparelho, levei-a ao oftalmologista e foi diagnosticada nela uma pequena miopia. Fomos à ótica escolher um par de óculos.

– É esse par sim, senhora! Óculos de tartaruga são chiques, elegantes, clássicos. E estão num preço ótimo. É este modelo bem escuro que vamos levar e ponto final.

– Mas, mãe! Você não pode fazer isso comigo! Esses óculos são enormes, pesados e redondos, com eles eu pareço uma coruja de mau humor. Já que EU vou usar óculos, EU devia escolher o modelo, né? E tartaruga é uó! Uó!

– Menina abusada. Puxou ao pai. Tartaruga é lindo.

– Eu não acho.

– Mas é.

– Para mim é coisa de gente velha! Esses óculos são imensos, pareço uma abelha com eles. Eu queria um modelo colorido, leve, divertido, que tenha a ver com a minha idade e que não ocupe mais da metade do meu rosto...

– Deixe de dizer besteira. Óculos são óculos, apenas duas lentes que enfeiam a gente e levam as pessoas em volta a nos chamarem de quatro olhos.

– Eu não quero ser chamada de quatro olhos!

– Pois vá se preparando.

– Vamos pesquisar na internet um modelo legal, mãe...

– Que internet, Maria de Lourdes? Você acha que eu não tenho mais o que fazer?

– Não quero tartaruga! É feio e brega.

– Não diga besteira, tartaruga é bonito e está sempre na moda. Agora veja o senhor – dirigi-me ao vendedor que assistia em silêncio ao pequeno quebra-pau ocular –, eu dou tudo para esta criança. Amor, carinho, compreensão, educação, comida, ajudo nos estudos... e o que é que eu levo em troca? Desaforos! Maus-tratos! Rispidez! Agora me diz, onde foi que eu errei?

– Não repara, não, moço, ela é chegada num drama.

– Olha o respeito, Maria de Lourdes! Que gênio, garota! Que gênio ruim você tem! Não fala assim com a sua mãe!

Eu sei, eu sei, soei como a pessoa mais chata do mundo, mas justifico-me: TPM. Minha Tensão Pré-Menstrual me deixa louca, algumas vezes triste, outras com raiva, mas chata eu sempre fico. Muito chata. Pobre Maria de Lourdes!

– Eu não quero o de tartaruga.

– Ah, quer sim! Vamos levar.

– Não quero.

– Quer.

– Não quero.

– Quer.

– Não vou usar.

– DANE-SE!! – exclamei, para logo depois tapar a boca num sinal de autorrepreensão. Como é que fui falar assim com a minha filha? Sou uma grossa mesmo. Mas continuei no mesmo ritmo, como se nada tivesse acontecido. – Não quero nem saber se você vai usar ou não, Maria de Lourdes. Pode pagar parcelado, moço?

Dois meses depois, eu me vi obrigada a pagar outra armação para a teimosa, já que sua miopia aumentara quase um grau (a danada cumpriu a promessa de não usar os óculos). Uma roxa, de *design* arrojado, italiano, sete vezes mais cara do que a outra, que, verdade seja dita, era a pior imitação de tartaruga do mundo. Fez o maior sucesso na escola, ficou toda feliz a minha pequena.

Pequena que faz drama de adulto e já sabe impor sua vontade direitinho. Não sei a quem essa menina puxou...

Leguminosas

– Cenoura, beterraba, alface, agrião, rúcula e tomate. Coma tudo, Maria de Lourdes.

– Não quero.

– Quer sim. E vai raspar o prato.

– É ruim, hein? Só raspo se for bife com batata frita.

– Bife com fritas só depois da salada.

– Não gosto de salada. Quem come mato é vaca e eu sou criança. CRI-AN-ÇA!

– Mas legumes e verduras deixam a gente forte.

– O papai não come nada disso e é superforte.

– O papai não é superforte, o papai é supergordo, praticamente um pufe. E é adulto, cheio de defeitos, por isso ele come tão mal.

– Então eu quero ser uma criança cheia de defeitos.

– Muito engraçadinha, mas enquanto você e seus irmãos forem crianças, eu cuido da alimentação de vocês.

– Mas alface e rúcula, para mim, são plantas. E quem gosta de planta é jardineiro e a vovó Dalva. Eu não como planta, como comida! Comida!

– Então aprenda a gostar de "planta". Quando você crescer, se quiser, pode mudar seus hábitos alimentares, mas enquanto morar aqui comigo vai ter de me obedecer.

– Que saco! Quanto tempo falta para eu virar adulta?

– Muito tempo, Maria de Lourdes... muito tempo...

9 anos

Mães não dançam!

Levei Maria de Lourdes ao aniversário de uma amiguinha da escola. A comemoração, temática, barulhenta e colorida como todas as festas infantis atualmente, aconteceu no playground, decorado com motivos de Barbie. No salão de festas ficava a pista. Sim, meninas de nove anos dançam. Como ainda ignoram as meninas, meninos dessa idade preferem jogar futebol, correr e estar com os amigos. É bom, assim elas aprendem desde cedo que eles detestam dançar, trocam tudo por futebol ou qualquer esporte e acham a companhia dos amigos sempre muito melhor do que a nossa.

Enquanto a pista enchia de gurias rebolativas e muito assanhadinhas para o meu gosto, aquele papo-mãe da mesa de mães só me irritava. Entre cachorros-quentes e pipocas, uma tonelada de assuntos sem graça, debatidos com uma seriedade irritante. Mensalidade do colégio para cá, mensalidade da natação para lá, a troca de cores do uniforme, oh!, o peso da mochila, jogos de computador, o novo e péssimo professor de Matemática, a próxima reunião de pais, o engarrafamento na porta do colégio na hora da saída...

De repente, olhei para a pista e vi minha pequerrucha, de longe a mais linda da festa, dançando. Tão cheia de ritmo, tão cheia de atitude... fiquei orgulhosa. Nem parecia a menina dura e desengonçada que um dia eu quis que fosse bailarina. Dançava com vontade, com o corpo todo. Às vezes se entregava à música de maneira tal que até fechava os olhinhos e balançava mais os braços. Mas logo reparava que era mico e parava com o show. Achei a cena um charme e não hesitei em levantar e deixar aquelas mães chatas e modorrentas de lado. Precisava aproveitar a ocasião e aquela era única. Decidi ir dançar com a minha filha, interagir com ela e as amiguinhas, mostrar para ela como sou bacana e quantos momentos lindos e dançantes podemos passar juntas daqui para a frente.

Em questão de segundos, mostraria para minha filha que sua desenvoltura na pista era hereditária, ela puxara a mim. A passos largos e, claro, cadenciados, aproximei-me dela e das cinco amigas que dançavam em círculo. Deslizando no salão do play, sorri para ela. Embora olhasse na minha direção, Maria de Lourdes permaneceu séria e emburrada, não deve ter visto meu sorriso, a luminosidade era pouca. Requebrei os quadris. Ela bateu o pé direito no chão com força, repetidas vezes. Eu pisquei para ela, ela olhou para o teto. Eu espremi os olhos, tal qual uma top model fotografando. Ela franziu o rosto inteiro e me encarou como quem encararia um extraterrestre míope. Queria me dizer alguma coisa.

Levantei os braços bem para cima e comecei a acompanhar a batida da música com palmas, poses e gritinhos. Maria de Lourdes levou as palmas de suas mãos ao rosto, aos cabelos, à cintura. E, em vez de gritos, ouvi soluços. Vai ver ela queria chorar de emoção. Afinal, era um momento único, não tinha nenhum adulto na pista, só eu. Ela devia estar radiante com o gingado e o suingue da mãe. Mas eu tinha a impressão de que quanto mais me aproximava, mais ela olhava para os lados e tentava fingir que eu era invisível.

Com uma leve bundada na amiguinha da direita e uma bundada mais forte na Alice, amiguinha da esquerda que nunca fui muito com a cara, marquei minha entrada na roda e comecei a mexer, a cantar, a fechar os olhos, a dançar com abandono, a reproduzir os passos de John Travolta em *Os embalos de sábado à noite*. Senti por dentro que estava arrasando. Só dava eu na pista.

– Que delícia estar aqui com você, filha! Há séculos eu não danço! – disse, balançando os cabelos de um lado para outro. Eu era a animação em forma de mãe gente boa.

– Dá para perceber. Todo mundo em volta percebeu – disse ela, emburrada, com cara de poucos amigos.

– Pois eu estou me divertindo à beça.

– Está pagando mico, isso sim. Mico, não, gorila. Vaza, mãe. Vaza agora se não quiser me matar de vergonha, está todo mundo olhando, apontando e rindo. Vaza, vaza!

– Eu, hein! Era só o que me faltava. Vim aqui dançar com você, toda feliz, e você quer me expulsar da sua rodinha *dance*? Nem pensar. Uepaaa! Adoro essa música.

– Uepa!? Mãe, sai daquiiiiiiiii, por favoooor! E para de mexer os braços para trás como se quisesse voar! Ou nadar, sei lá!

– Deixa de ser boba, Maria de Lourdes, estou só dançando.

– Não parece. Neste exato momento, por exemplo, parece que você está querendo imitar uma garça com prisão de ventre.

Nossa! Como será uma garça com prisão de ventre? Deixa para lá! O fato é que ela quase não abria a boca para falar. As palavras, meio choradas, meio ordenadas, meio murmuradas, saíam por entre os dentes. Os olhos, que pararam de piscar havia um tempo, mal olhavam para mim. Só olhavam em volta.

– Que sair, o quê? Não saio. Com essa música dá para fazer meu passinho preferido, presta atenção, Maria de Lourdes.

– Não, mãe, passinho, não! Eu te imploro, eu suplico. Faço tudo o que você me pedir, mas passinho, não!

Nesse momento, tomei abuso da Maria de Lourdes! Vê se pode! Querer mandar em mim, assim, só porque acha que eu estou pagando mico. Não estou nem aí. Carreguei essa metidinha nove meses na barriga e é isso que eu ganho em troca? Não mesmo! Resolvi voltar a ser criança (afinal, tudo em volta contribuía para isso) e fiz, com muito gosto, exatamente o contrário do que a pirralha me pedira.

– Cinco, seis... e cinco, e seis, e sete, e oito. Braço esquerdo, braço direito, perna, chute, ombro. Cabeça, cabeça, rebola até embaixo, chute de novo. U-huuuu! Lembro de tudo! Tinha a sua idade quando rolava esse passinho, Maria de Lourdes! De novo! Braço, braço, perna, chute, ombro. Parou. Cabeça, cabe...

– Mãe, minhas amigas estão perguntando se você sempre se comporta dessa maneira ridícula. Agora entendi por que o Mamá quase se mata para convencer o papai a ir com ele nas festas.

– O Mário Márcio e a Malena gostam mais do seu pai, isso é fato. Você, não. Você me ama incondicionalmente desde bebê. Nós temos essa conexão especial desde que você nasceu.

– Conexão sacal, você quer dizer!

– Primogênito é sempre superprotegido, filha.

– Supersofredor, isso, sim.

– Nossa, como você gosta de reclamar, Maria de Lourdes!

– As minhas amigas estão te achando uma bêbada maluca e sem noção! Já falei que você não bebe álcool, só refrigerante, mas ninguém acredita!

– Ô, filha, assim você magoa a mamãe. Eu não bebo refrigerante, é cafona e dá celulite.

– Cafona é você comprar roupa de gente da minha idade. Calça baixa, mãe? Onde você estava com a cabeça?

– Eu fico muito bem de calça baixa, disfarça meus quadris, tá?

– Em que espelho?

– No meu! Maria de Lourdes, no meu! – subi o tom da voz algumas notas. Baixei novamente. – Você não vai conseguir me irritar e me expulsar da pista. Eu estou felicíssima hoje, daqui não saio mesmo.

– Ah, é? Então, já que vai continuar fazendo isso que você chama de dança, podia, pelo menos, tirar a pochete…

– Que pochete, Maria de Lourdes? Enlouqueceu? Eu odeio pochete, quase mato o seu pai quando ele resolve usar.

– Ai, mãe! O que eu quis dizer foi: "encolhe a barriga!" Você sabe que a sua barriga está parecendo uma pochete, não sabe? E daquelas bem lotadas.

Se a pirralha não fosse minha filha eu apelaria para um linguajar desclassificado e a chamaria de vaca com todas as minhas forças. Mas mãe de vaca, vaca é. Portanto, achei melhor continuar minha dança, era tudo o que podia fazer para irritá-la mais do que ela estava me irritando.

– Eu tenho três filhos, Maria de Lourdes! Não dá para ter a barriga lisa depois de três filhos.

– Fala sério, mãe! Claro que dá, você que não soube manter seu corpo.

O quê!? Ouvir isso de uma nanica de nove anos é quase a morte, mas me mantive no salto.

– Não pira, caipira! Filhos acabam com o corpo da gente. Mas um dia você vai saber.

– Não pira, caipira!? Que é que é isso!? Ai, mãe, que vergonha! Em que ano você vive? Que expressões são essas que você usa? De onde você desenterra isso? O que as minhas amigas vão pensar?

– Ah, Maria de Lourdes, se liga! Não estou nem aí para você e para as suas amigas. Quero é dançar e ser feliz, você está me atrapalhando. Os incomodados que se mudem.

– A festa é para gente da minha idade, não para velho.

– Velho? E onde é que você está vendo velho aqui? Outra coisa, senhorita, não existe gente da sua idade. O que existe é criança da sua idade. Na sua idade, as pessoas parecem gente, se acham gente, agem como gente, falam como gente, mas não passam de pirralhas.

– Pirralhas? Onde é que você está vendo pirralhas aqui? Pirralhos têm cinco anos. Eu tenho nove!

– Então, tá, pirralha de nove anos. Agora vamos calar a boca e ouvir a música? Estou a fim de me soltar, de mexer o esqueleto! Seu pai não me leva para dançar nunca.

– E o que é que eu tenho a ver com isso? Amanhã no colégio vai todo mundo comentar o mico que a mãe da Malu pagou na festa.

– E você liga para o que as pessoas comentam? Fala sério, Maria de Lourdes! Tenha personalidade. Você tinha de se orgulhar por ter uma mãe moderna, empolgada, animada, divertida, cheia de ginga. Eu sou um espetáculo, isso sim. E sou a melhor mãe do mundo! Sou uma mãe do balacobaco!

Do balacobaco foi horrível, eu sei. Isso é do tempo do Onça. Ops! Do tempo da minha avó, digamos assim. O fato é que Maria de Lourdes arrumou uma forma de se afastar de mim aos poucos e, quando dei por mim, estava dançando sozinha na pista. Tudo bem, pelo menos eu estava dançando. E, como não tinha nenhuma pirralha sem sal para me recriminar, pude me soltar, deslizar, sapatear, rodopiar, flutuar. Feliz da vida. Afinal, foi uma tarde única, dancei pela primeira vez com a minha filhota e ainda descobri que ela é cheia de suingue. Pena que a boboca morre de vergonha de dançar comigo. Mas isso passa. Um dia, tenho certeza, ela vai gostar de sair para balançar o corpo com a mãe. E eu vou amar quando isso acontecer.

10 anos

Hoje é dia de festa

Se você é mãe, prepare-se. Um belo dia sua filha vai olhar no fundo dos seus olhos com o olhar mais cândido do mundo e dirá, com a fisionomia inalterada, plácida:

– Mãe, tenho uma festa para ir hoje.

Festa. Festa! Não é um encontro entre amigos num play ou em um bufê infantil, não! É festa de adulto! Em boate de adulto! Horário de adulto! Saem tarde de casa, chegam mais tarde ainda! O sono da gente que se dane! Pai e mãe, a partir de uma certa idade, vivem para pegar os filhos. No cinema, na escola, na praia, na natação, na capoeira, na casa de alguém, nas festas. E não pode ficar esperando na porta dos lugares, tem esse detalhe. É mico.

Rega-bofe anunciado, começa o dilema da roupa. Sim, porque quando elas fazem uns oito anos decidem que repetir roupa é pecado mortal. Em festa, então, é o fim. A agenda, que antes servia como diário, passa a ser finalmente utilizada como agenda e lota de compromissos com uma velocidade impressionante. São pelo menos três festas por semana. Três!

O pior é que, além das roupas, tem o rio de dinheiro que elas nos fazem gastar em coisas utilíssimas, como esmaltes coloridos, pulseiras diferentonas, anéis modernosos, elásticos para cabelo de última geração, gloss, blush, sombras... e tudo é sempre no plural. Sempre. Ah, sim. Meninas de 10 anos já usam esmaltes, pulseiras, anéis e maquiagem. Um espanto. Meninos dão trabalho, meninas dão trabalho triplicado!

Por essas e outras que uma amiga minha diz que aquela rede de proteção que botamos nas janelas não é para as crianças não caírem. É para as mães não se jogarem lá embaixo.

Minha filha atropelou meus pensamentos:

– Você pode me buscar às duas ou quer que eu durma na Alice?

Nessas horas, o segredo é manter a tranquilidade, respirar, contar um, dois, três, quatro, cinco...

– Eu sou muito introspectiva, por isso não deve dar para reparar que eu estou rolando de rir por dentro. Sim, porque isso que você me contou foi uma piada, não foi? Como assim, duas? Duas da manhã?

– Não, da tarde... – debochou a danada.

– Maria de Lourdes, não ironize, não suporto isso. Duas horas da manhã? Você é uma criança e crianças não voltam pra casa às duas da manhã.

– Não em dia de festa. Então eu durmo na casa da Alice, beleza – disse, virando-me as costas e dando a conversa por encerrada.

– Ei, ei, ei, mocinha! Está pensando que é assim? Que você decide o que bem quer fazer da sua vida?

– Arrã.

– Maria de Lourdes, você anda muito malcriada, sabia? No meu tempo, se eu falasse assim com a minha mãe levava um tabefe e ainda tinha minha boca lavada com sabão. Palavrão e malcriação não entravam lá em casa.

– No seu tempo, mãe. Hoje é o meu tempo. Que saco esse negócio de tempo! Eu não sou do seu tempo, assim como você não é do tempo da vovó e a vovó não é do tempo da avó dela. Sacou? Dá um tempo, mãe.

– Ai, Maria de Lourdes, como você me irrita! Já para o quarto.

– Como assim?

– Sou sua mãe, enquanto eu pagar suas contas você faz o que eu mando. Não tem festa coisa nenhuma.

– Quê!?

– Isso mesmo que você ouviu!

– Quando é que eu vou crescer para poder fazer da minha vida o que eu bem entender? Eu quero morar sozinha!

– Você não consegue ficar sozinha por dois segundos, imagina morar sozinha, não diga sandices.

– Ah, é? Pois sabe o que eu vou fazer quando eu for adulta? Vou comer só feijão, arroz, bife e batata frita. Todo dia! E vou me entupir de biscoito antes de qualquer refeição sempre que tiver vontade. E vou botar o pé em cima do sofá e não vou ter ninguém para dar *satisfa*.

– Arrã. Acabou o show? Já para o quarto.

– Ah, mãe! Deixa eu dormir na casa da Alice!

– Não.

– Por quê?

– Não gosto dela.

– Por quê?

– Não vou com a cara.

– Por quê?

– Sexto sentido de mãe. E isso a gente não questiona, a gente aceita. Não gosto dela e ponto.

– Ah, então está explicado. Não gosta porque não gosta. Quando eu digo que não gosto de jiló porque não gosto você briga comigo. Vai entender os adultos!

– Chega de deboche, menina! Passou dos limites.

– Não estou acreditando que você não vai me deixar ir à festa. Vou ligar para o meu pai agora.

– Não vai, não. Já para o quarto, Maria de Lourdes!

– Quantas vezes eu preciso dizer? Eu não gosto do meu nome! Daqui para frente eu quero que respeitem a minha vontade nesta casa e passem a me chamar de Malu! Todo mundo me chama de Malu, menos você. Parece implicância.

– Mas Maria de Lourdes é um nome tão lindo…

Virou as costas e saiu falando sozinha.

Festa… pois sim! Não vai mesmo. Imagina se ela beija alguém, não sei se estou preparada para ouvir da minha filha que ela beijou.

Ui! Que careta, meu Deus, que careta! Não posso nunca contar isso para ninguém.

Cabelo em pé

Outro dia li numa revista que as mulheres não saem de casa sem passar pelo menos 21 minutos se arrumando. Esse tempo se refere a um programa básico, como ir ao shopping. Quando se trata de uma noitada em um bar, a mulherada perde 54 minutos se aprumando. Maria de Lourdes, que nem mulher é ainda – embora se ache uma –, gasta, no mínimo, uma hora em frente ao espelho se ajeitando. E isso em dia de tarde no shopping. Em dia de festa, melhor pedir para a lerdeza em pessoa começar a se arrumar umas quatro horas antes de sair.

O cabelo é o grande culpado. O cabelo é a vida para a Maria de Lourdes, um assunto importantíssimo, cabelo é tudo para ela. Para chegar perto das madeixas dos seus sonhos, ela gasta intermináveis minutos alisando, esticando, puxando, escovando e secando os benditos fios. Cuida deles com um carinho que só vendo. Mas nunca está satisfeita, claro. Vive reclamando da textura, do tipo, da cor, do comprimento, dos cachos...

– Vamos embora, Maria de Lourdes! Você está há quarenta e cinco minutos fazendo esse rabo de cavalo! Não é possível! A gente só vai ao zoológico e me disseram que os bichos não são muito de comentar e de prestar atenção no penteado dos visitantes.

– Dâââ! – chiou ela, mostrando que não estava para brincadeiras. – É que não estou conseguindo abaixar um fio.

– Que fio?

– Este aqui, não está vendo?

– Não, ninguém vê, só você.

– Mas está aqui, todo eriçado.

– Onde?

– Aqui! Não está vendo? É cega?

Engoli a malcriação para não criar clima ruim e fiz e refiz a porcaria do rabo de cavalo da Madame Mau Humor umas sete vezes e o diacho do fio que só ela via que continuava em pé. Chamei o Armando, que criou dezessete versões desastradas para o penteado e o tal fio (que era absolutamente invisível para toda a família, vale frisar) continuava irritando a moça – e a casa inteira.

A pequena Malena quis ajudar, mas foi logo vetada, Mário Márcio bem que tentou dar uma mãozinha, mas acabou levando uma bronca por ter deixado eriçados outros dois (dois!) fios, vizinhos ao eriçado original – o que é uma tragédia no universo paralelo onde vive a Maria de Lourdes.

– Será que ninguém nesta casa consegue fazer um rabo de cavalo decente? – reclamou ela, doida pra puxar briga.

– Vamos botar gel – sugeri.

– Claro que não! Não se atreva! Vai ressecar o meu cabelo todo!

– Laquê?

– Nem pensar! Deixa o cabelo duro e armado. E eu só quero abaixar um fio! – gritou com toda força.

– Água?

– Água? Louca! Água seca e fica dez vezes pior do que antes, né, mãe?

– Já sei!

– Não, mãe! Cuspe, não, né?

Tarde demais. Já tinha dado uma lambida de respeito no polegar e em dois tempos passei no seu cabelo. Para fixar bem, tasquei mais uma lambida. A fresquinha chiou e se esgoelou o quanto pôde, mas minha saliva materna cumpriu à risca sua função adesiva e baixou os (oh, meu Deus!) três fios rebeldes. Minha saliva é tão potente que deu até mais brilho no cabelo da menina.

Menina ingrata:

– Eca! Que nojo! Como você teve coragem de fazer isso? Nojo! Nojo! – resmungou ela com o rosto todo franzido, sem saber onde pôr as mãos, apontando para a cabeça como se 370 minhocas gosmentas estivessem passeando por ela. Cena engraçadérrima, mas me contive.

– Nojo de quê? Da minha saliva? Deixe de ser ridícula! Limpei um monte de cocô seu e é isso que recebo em troca?

– Não venha de conversinha, não! Nada justifica você cuspir no meu cabelo. Você cuspiu no meu cabelo! Isso devia ser proibido.

– Mas você vai ver no zoológico que toda mãe lambe as crias. É só encarar a cusparada como uma lambida, boba. Assim você sai de casa entendendo como funciona o reino animal – debochei. – Podemos ir agora?

– Claro que não, não saio sem tomar banho. Você me deixou horrorosa com essa lambida. Agora meu cabelo ficou com cara de sujo, imundo! Parece que derramaram um litro de óleo na minha raiz.

– Deixe de ser exagerada, menina! Se quiser, lava de novo o cabelo que essa história *me* deixou de cabelo em pé! – soltei meu lado piadista.

– Nossa, como você é engraçada – disse ela, seríssima.

– E você é emburrada. Vá para o chuveiro logo. E não demore, por favor!

Depois do banho, ela me puxou num canto:

– Não conta do cuspe para ninguém?

– Segredo nosso.

– Promete?

– Está prometido.

O silêncio selou nosso trato. Mas logo ela *me* lançou um olhar sapeca e me surpreendeu:

– Posso rir agora?

– Pode, sua maleta.

– E você jura que não conta para ninguém que eu ri no dia em que você tascou cuspe no meu cabelo?

– Juro.

Ela estourou numa risada para lá de saborosa. Não resisti e me deixei contagiar por seu sorriso lindo. E ficamos ali, no quarto, sozinhas por bons e longos minutos, fazendo uma coisa saudável e recomendável: rolando de rir uma da cara da outra. Antes de sair, prometemos esquecer o episódio da lambida. Aliás, que Maria de Lourdes nunca saiba minha opinião sobre isso: nojo! Nojo! Nojo!

Mantenha-se afastada

Maria de Lourdes pensa que eu não noto, mas está chegando naquela fase insuportável em que o ideal para ela seria que eu não existisse. Ou que eu fosse invisível. Ideal mesmo seria que, além de invisível (e muda, claro), eu a alimentasse, lavasse suas roupas, desse sua mesada e me recolhesse num quarto escuro no restante do tempo.

Como sei isso? Fomos ao shopping outro dia. Foi ridículo.

– Vamos logo, tenho um cineminha marcado para daqui a pouco e não quero perder a hora – avisei.

O projeto de gente saiu do carro, botou o fone nos ouvidos e voou para dentro do shopping. Andou a léguas de distância de mim. Por mais que eu gritasse (e como eu gritei!) "Maria de Lourdes! Maria de Lourdes! Vem ver essa vitrine!", a aprendiz de arrogante não se virava.

Peguei-a pelo braço:

– Posso saber por que você está nove metros à minha frente?

– Gente, essa mulher é louca! Louca! Nunca vi na vida – reagiu, sonsa.

– Se você quer plateia você vai ter. E ela não vai gostar de você...

Ela fez cara de tédio. Nem se abalou com a ameaça.

Sabe me deixar com raiva!

– Posso saber por que você me ignorou quando eu te chamei?

– Você me chamou? Daquele seu jeito discreto, berrando o meu nome? Não acredito! Alguém ouviu?

– Todo mundo, menos você.

– Ai, mãe, que mico!

– Pensa que eu não percebi que você queria que eu fosse invisível?

– Que bom que você percebeu! Se a gente parar de conversar agora ninguém nem vai notar que somos mãe e filha, vai parecer que você veio me pedir alguma informação.

Que audácia! Que petulância! Deu vontade de dar umas palmadas nela ali mesmo.

– Maria de Lourdes! Nós viemos ao shopping juntas! E se você for ficar de frescura eu vou...

– Mãe, shopping com mãe é mico, entendeu? Maneiro é vir com a galera. Mãe deixa e busca. Só. Você não entende porque no seu tempo aposto que nem tinha shopping.

– Você quer ficar sem vir ao shopping por um ano?

– Claro que não, mãe! Fala sério!

Botou o fone e saiu andando. Nove metros à minha frente.

11 anos

Menstruação é lindo

Outro dia Maria de Lourdes veio com um papo de que "não vê a hora de ficar menstruada". Tem coisa mais descabida?

– Minha filha, menstruação é a coisa mais chata do mundo!

– O papai diz que muito mais chato é fazer a barba todo santo dia.

– Ele diz isso porque não menstrua, não tem cólica, não gasta rios de dinheiro com absorventes, anticoncepcional e remédio para cólica, não fica na TPM, não tem uma dor de cabeça infernal no primeiro dia de menstruação...

– Pois eu acho menstruação lindo...

– Sangrar uma vez por mês é lindo? Em que planeta?

– Ah, mãe. Eu sei que tudo vai mudar na minha vida depois que eu menstruar. Vou ficar mais mulher...

– E vai deixar de ir à praia, se tiver cólica, vai deixar de ir ao cinema se o fluxo estiver muito forte... não diga sandices, Maria de Lourdes! O que muda com a menstruação é o humor, o bem-estar.

Vai tudo para o brejo. Não dou duas menstruações para você me dar razão. Mas aí vai ser tarde. Uma vez menstruada, menstruada para sempre!

Não é para sempre, eu sei, mas o assunto estava me deixando irritada e eu precisava exagerar um pouco.

– Li numa entrevista que aquela atriz novinha da novela não menstrua. Parece que tem um tratamento que...

– E eu lá quero saber de artista? Artista é tudo diferente, artista é tudo maluco.

– Mas a coordenadora da quarta série também não menstrua...

– Quê?

– Nem a professora de Ciências.

– A professora de Ciências não menstrua!? Como é que você sabe que a professora de Ciências não menstrua, Maria de Lourdes? Você não saiu perguntando no colégio, de professora em professora, quem menstrua e quem não menstrua, não é? Não me diga isso, que vergonha!

– Claro que não, mãe! Ih, não se pode falar nada com você... na minha escola todo mundo conversa tudo com todo mundo, o oposto daqui de casa.

– Assunto sem nexo eu não converso mesmo.

– Bem que o papai falou...

– Falou o quê?

– Para eu não puxar esse assunto com você.

– Por quê?

– Ele me avisou que você ia ligar a minha menstruação com o seu envelhecimento. E rugas, segundo o papai, deixam qualquer mulher deprimida, irritada, ensandecida e estressada. E estava certo.

– Seu pai não está certo! Seu pai está erradíssimo. Seu pai é errado! Eu não estou nada irritada. Nem velha. Nem me sentindo velha. Muito menos enrugada, enrugada é a mãe dele! Seu pai não sabe de nada e ainda se acha muito engraçado, coitado. Ele é como todo homem, minha filha. Só serve para trocar lâmpada, desentupir privada, abrir copos de mate e vidros de azeitona. Maria de Lourdes! Maria de Lourdes! Olha a falta de educação, Maria de Lourdes, volte aqui já!

Foi embora e me deixou falando sozinha esse projeto de gente.

Mas fez bem.

Eu mereci.

Boletim

– Oi, mãe, beleza? Toma meu boletim. Beijo, estou indo para o quarto.

– Ei, que pressa é essa de ir lá para dentro? Não mesmo, quero olhar com calma suas notas, comentá-las...

– Mas é que eu estou apertada para fazer xixi...

– Segura a vontade só um pouquinho, querida. Vejamos, vejamos... 6 em Português, Maria de Lourdes? Seis? Abaixo da média?

– A turma toda tirou nota baixa em Português.

– Eu não tenho nada a ver com a turma toda, tenho a ver com você. Por que não pediu ajuda a mim ou ao seu pai? Nós adoramos a língua portuguesa. Trabalhamos com ela.

– É? – fez ela, rosto todo franzido, realmente indignada.

– Maria de Lourdes, queridinha, você tem alguma noção do que faz um jornalista?

– Espalha uma notícia que acabou de descobrir. Passa uma fofoca adiante – riu.

– Nossa, estou com a barriga doendo de tanto rir, dona "Vou Ler Mais Livros a Partir de Amanhã" – ironizei.

– Tá bom, eu leio mais, prometo. Antes que você fale da nota de Matemática…

– Cinco! Cinco é uma nota inadmissível. É quase 4, e 4 é quase 3 e 3 é praticamente 0, Maria de Lourdes!

– Pois é. Odeio Matemática, não sou boa com números. Mas puxei a você, né? Porque 3 não é praticamente 0! Fique sabendo que me esforcei muito, você que não quis me botar num professor particular.

– Maria de Lourdes, aprenda uma coisa. Dinheiro não nasce em árvore e professor particular se paga com dinheiro. Achei que seu pai saberia te explicar a matéria direito.

– Que nada! O papai é pior do que o pior professor de Matemática.

– E Ciências? Seis e meio, Maria de Lourdes? Não dava para ter sido 7? Não tem uma nota decente neste boletim?

– A professora de Ciências é *uó*, não sabe explicar quando a gente tem dúvida. Além do mais, eu não quero ser cientista, deve ser a profissão mais chata do mundo.

– Você não devia querer repetir de ano, isso sim. Maria de Lourdes, você precisa estudar mais, é a única obrigação que você tem na vida por enquanto. Como pôde se sair tão mal nas provas? Seu irmão é tão estudioso e sua irmã já dá sinais de que será um pequeno grande gênio da humanidade. Você é essa negação! Onde foi que eu errei, Deus meu?

– Eu tirei 10 em Educação Física. Dez! Não vai comentar, não?

– Claro que não. Grande coisa tirar 10 em Educação Física.

– Ai, como você é preconceituosa e injusta!!

– Pelo andar da carruagem, acho que alguém vai ficar em recuperação.

– Vira essa boca para lá! No segundo semestre eu meto a cara e corro atrás do prejuízo, tá? Beijo.

Ela foi para dentro e eu fiquei no escritório remoendo aquelas notas vergonhosas. Sempre fui tão boa aluna... Maria de Lourdes não está nem aí para o colégio e isso me preocupa. Por isso, tomei uma decisão. Tudo bem, devia ter feito isso um minuto antes, mas mães têm todo o direito de pensar melhor sobre um assunto antes de decidir o que fazer. Fui ao quarto dela e decretei:

– A senhora vai ficar de castigo.

– Castigo!? Por quê? Tem um monte de gente que tirou notas muito mais baixas!

– Eu não sou mãe de toda essa gente, sou sua mãe. Portanto, pode começar a meter a cara, a partir de hoje eu vou controlar de perto os seus estudos. Enquanto você não me provar que sabe tudo de cada matéria, fica sem internet, sem play à tarde, sem videogame e sem televisão. Acabou a farra. E quero que comece agora, já!

– Sem internet, mãe? Mas eu estudo pela internet, você sabe. Isso, sim, vai atrapalhar as minhas notas.

– Estuda nada! Você fica é trocando bilhetinhos com os seus colegas, pensa que eu não sei? Eu domino a tecnologia avançada, Maria de Lourdes.

Para minha raiva, ela soltou uma gargalhada estridente.

– Domina nada! É a maior prega na internet! Atolada.com.br! Para começar, ninguém troca bilhetinhos na rede, mãe. Você não sabe nem os nomes certos das coisas. Outro dia nem sabia o que era blog!

– Você está de castigo, Maria de Lourdes! E eu não converso com pessoas que estão de castigo.

– Injusta! Insensível! Cruel! – reclamou, indignada.

Odeio bancar a mãe durona, mas não teve jeito. Se eu não fizer pressão, ela passa o dia inteiro de conversinha na internet ou no telefone e só estuda para passar. Nananinanão. A partir de agora, rédea curta!

12 anos

Abraçando o teatro

Minha querida primogênita resolveu entrar para um curso de teatro. Achei ótima ideia, teatro solta a cabeça, faz pensar, ler, criar, fantasiar, imaginar – e, como disse Albert Einstein, "Imaginação é mais importante que conhecimento". Dei a maior força.

Em pouco tempo, Maria de Lourdes ficou menos tímida, mais segura de si, mais articulada, muito mais comunicativa. E muito amável. Mas amável demais. Aquele tipo de amável que beira o exagerado. Do dia para a noite, minha amabilíssima filha resolveu virar uma abraçadora profissional. É um tal de abraça pra cá, abraça pra lá... a menina agora abraça Deus e o mundo. Me pega na cozinha, me agarra e me aperta com força e me enche de beijo. Com o pai e os irmãos, a mesma coisa. E é assim aqui em casa, na escola, no teatro, na praia, nas festas.

Povo de teatro é muito dado, muito liberal. Não que eu seja preconceituosa, longe de mim, mas a verdade é que artista é muito amiguinho de todo mundo e, para eles, é normal amiguinho beijar a boca de outro amiguinho. Minha filha não chegou (e espero que não chegue nunca! Nunca!) a essa fase de dar selinho a torto e a direito. Por enquanto é só abraço.

– Querida... depois de abraçar com vontade o pipoqueiro, o jornaleiro, a professora, a Alice, o nosso porteiro e o seu Mathias, da farmácia, você tinha mesmo que abraçar o Pedro, do 209, daquele jeito? Eu achei aquilo meio...

– Meio o quê, mãe? – irritou-se.

– Meio desnecessário, meio oferecido. Você mal o conhece.

– Não viaja! O primo do Pedro faz teatro comigo e ele está sempre lá com a gente. Ele é praticamente povo de teatro e povo de teatro sabe abraçar superbem. Diferente de muita gente, que tem abraço frouxo ou que foge de abraço, que não consegue dar um abraço apertado, cheio de energia. Povo de teatro se entrega nos abraços, dá abraços demorados, apertados, com emoção – tentou filosofar.

– Minha filha, essa troca de energia é bonita e tal, mas é atiradinha demais para o meu gosto. Agora você vive pendurada em um monte de gente. Quem não conhece a beleza de tanta energia, deve te achar uma menina... Como vou dizer isso? Fácil.

– Fala sério, mãe! Que comentário mais sem noção! Eu não estou nem aí para o que pensam ou deixam de pensar de mim. Ninguém tem nada com a minha vida.

– Claro, você está certíssima. Mas eu acho esse amor excessivo e nada em excesso é bom...

– Mãe, eu gosto de trocar carinho com as pessoas, só isso. Nunca ninguém me abraçou com vontade aqui em casa. Abraço na nossa família sempre foi de longe, rápido, sem força, sem vida. Um abraço pode ser a melhor coisa do mundo por alguns segundos. E quem não quer a melhor coisa do mundo? Abraçar com vontade quem eu gosto não quer dizer que eu seja uma menina *facinha*. Aliás, eu sou a menina menos fácil que conheço, achei que você soubesse.

Papéis invertidos. Levei uma senhora bronca da minha pirralha. Uma bronca elegantérrima, mas uma bronca. E dou razão a ela por cada palavra, por cada sentimento que ela pôs em seu discurso. Fiquei orgulhosa de sua entrega, das suas verdades... do seu coração. Antes de ir para o quarto, ela pediu:

– Dá cá um abraço?

Ufa! Fiquei aliviada ao constatar que mesmo depois da bronca ela queria me abraçar. Dei nela um abração. Apertado, esmagado, asfixiado, do tipo que não vai acabar nunca. E não é que sua teoria do abraço estava certa? Com vontade e entrega, usando cada músculo do corpo e da face, das mãos e dos dedos, um abraço pode mesmo ser a coisa mais gostosa do mundo. E que bom que ela descobriu isso tão novinha e ensinou para mim.

Beijo de língua

Estava sentada no meu computador lendo uns e-mails quando, por conta de umas fotos de bebês que um amigo me mandou, lembrei de como parece que foi ontem que meus filhos eram pequenas bolotas cheias de dobrinhas. É engraçado perceber que muitas vezes Maria de Lourdes, a menos parecida fisicamente comigo, faz gestos e olhares que eu faria, toma atitudes que eu tomaria... é muito bacana pensar que criei meus filhos para o mundo, mas deixei neles a minha marca.

A Maria de Lourdes anda numa fase engraçada. Está se achando gente, mais mulher, comprando roupas menos infantis, querendo livros com temas mais adultos. No fundo, claro, continua uma criança. Criança enorme, já, já está mais alta do que eu. Às vezes queria voltar no tempo só para poder carregá-la como um bebê de novo. Por alguns segundos, gostaria de ter aquela sensação gostosa de volta. Mas a verdade é que ela ainda é a minha neném.

– Ooooi! – disse ela, ao chegar em casa fazendo a bagunça de sempre, deixando mochila num canto, agenda noutro.

– Oi, amor de mãe! Estava pensando em você pequenininha e deu uma saudade... vem cá me dar um beijo?

Ela veio, encheu-me de beijos e, sentada no meu colo, perguntou:

– Lembra que eu fui ao cinema no sábado?

– Lembro, claro.

– Sabe o que rolou lá?

– O filme, ué.

– Não, mãe! Além do filme...

– Pipoca? Refrigerante? Jujuba?

– Que *mané* jujuba, mãe? Pensa mais um pouco.

– Chiclete?

– Caraca, não acredito que você não deu uma dentro! Rolou um beijo, mãe. Beijo!

– O quê? Suas amigas já estão beijando? Não me diga, Maria de Lourdes. Aposto que foi essa tal de Alice, sempre achei essa menina muito saidinha.

– Fui eu, mãe. Eu que beijei.

Hããããããã!? Muita calma nessa hora! Tentei agir naturalmente.

– Você? Olha só, filha... você beijou... que bom... – reagi, sem um pingo de animação com o assunto, admito.

– Só isso? Não quer saber como foi? Com quem foi? Achei que você ia morrer de curiosidade.

– Nossa, estou louca, LOUCA para saber esses detalhes, minha filha, você não faz ideia – menti descaradamente. – Só espera um minuto que mamãe vai pegar um copo d'água. Quer também?

Eu precisava mastigar a novidade.

– Não, obrigada – respondeu ela.

Deixei Maria de Lourdes na sala e corri para a cozinha. Eu pensando que ela ainda era um bebê e já tem marmanjo de olho na minha pequena? Que mundo mais apressadinho! Maria de Lourdes ainda é uma criança, seu, seu... como é o nome do rapaz?

Será que rolou um cheirinho no cangote? Uma lambidinha na orelha? Ai, não! Jamais posso perguntar isso para ela. Mas quero saber tantas coisas... não! Não quero saber nada! Nada! Não está muito cedo para uma criança começar a beijar? Uma criança, meu Deus!

Precisava recompor minhas energias e fazer cara de mãe melhor amiga, entendida também como "nossa, que novidade bacana você está me contando, filha!". Respirei fundo e fui para a sala. O Armando talvez leve isso com mais naturalidade, mas eu sou meio antiquada para esses assuntos de beijo, de sexo, de relacionamento… na minha adolescência nós nunca conversamos sobre isso lá em casa.

– Então, filha, agora sou toda ouvidos. Quem é ele?

– É o Nando, primo da Alice.

– Não acredito que o cara é parente dessa Alice…

– Mãe! – bronqueou ela.

– Desculpa, desculpa, não está mais aqui quem falou.

– Ele mora em Friburgo, veio passar o feriadão aqui no Rio.

– Interessante. E… foi… foi assim… – Baixei os olhos e a voz, como se fosse falar uma enorme indecência. – Foi beijo de língua?

– Dââââ!

– Que é isso, Maria de Lourdes, olha o respeito! Foi ou não foi de língua? – questionei, com a testa franzida.

– Claaaaaro que foi, mãe! Você acha que eu ia dar selinho num menino de 15 anos?

– Quinze!? Menina, mas ele é um homem! Deve ser um galalau, se bobear tem barba e tudo! Maria de Lourdes, você conhece os pais desse rapaz? Ele é de boa família? De boa índole?

– Ai, mãe, que coisa mais antiga! Que "rapaz"? Quem é que fala "rapaz" hoje em dia? E por que é que eu tenho de conhecer os pais de um menino só porque dei um beijo nele? Que coisa mais sem nexo.

– O quê? Foi você que deu o beijo nele?

– Ah, tipo assim... eu tomei a iniciativa, mas ele já estava me azarando desde a lanchonete.

– Você tomou a iniciativa? Isso é coisa de menina fácil, Maria de Lourdes!

– Mas meninos são lentos, às vezes precisam de um empurrão básico. Além do mais, eu não aguentava mais ser BV, né?

– BV? O que é BV, Maria de Lourdes?

– Boca virgem, mãe! Que desatualizada!

– Mas que bobagem! Sabia que no meu tempo a gente só beijava...

– Alou! Não estamos no seu tempo! Vai começar esse papo chato de "no seu tempo" de novo?

– Está bom, desculpa.

– Não vai perguntar se foi bom?

Ela estava realmente decidida a ir fundo no tema. E eu sem a menor vontade de saber como foi. Precisava de tempo para digerir as informações anteriores. Mas Maria de Lourdes estava numa ansiedade frenética, queria porque queria contar tudo. Logo. E eu, que sempre quis bancar a mãe moderna, a mãe bem resolvida, a mãe antenada... tive de aguentar, com pinta de superinteressada. Mantive a pose.

– Sim, querida, claro. É... como foi?

– Foi molhado. Mas aí, mãe, muito, muuuuito molhado.

Ui! E eu tendo de reagir naturalmente.

– Molhado? Veja você, não me diga...

– Digo. Foi bem gostoso, mas também foi, assim, meio nojentinho, sabe? Muito estranho ter a língua de outra pessoa no meio da boca.

– Menos detalhes, Maria de Lourdes! Não precisa contar cada segundo desse beijo, ande logo, encurte essa história!

– O primeiro foi uma baba só – continuou, para meu total desespero.

Não queria ouvir aquilo. Era horrível visualizar uma língua cheia de cuspe dentro da boca da minha filhinha.

– Shhh! Olha o vocabulário chulo, Maria de Lourdes! Espera aí! Como assim primeiro? Teve mais de um? – assustei-me.

– Óbvio. Mais um, mais dois, mais três... e a cada beijo ia ficando mais gostoso e menos nojentinho. Tão bom, mãe! Tão bom! Não vi nada do filme.

– Foi, filha? Nossa, que interessante... Mas vocês não ficaram de saliência no escurinho do cinema, não, né?

– Fala sério, mãe! Não acredito que você disse essa palavra! Saliência? Nem a vovó diria isso. Mas, para a sua informação, não, não fiquei "de saliência" no cinema. Eu me comportei muito direitinho.

– Está bem, desculpa. Fico feliz em saber que foi bom, filha. E agora? Vocês... vocês estão namorando?

– Dâââ! Claro que não! Ele mora longe. E eu não estou nem um pouco a fim de namorar!

Ai, que alívio! Que alívio! Uma queima de fogos tomou conta do meu peito nessa hora, era muita felicidade. Apoiei veementemente sua decisão.

– Isso mesmo, filhota! Vai aproveitar o restinho da sua infância, brincar, pular amarelinha, correr, jogar, é isso que você tem de fazer.

– Mãe, o que eu ia dizer é que eu quero ficar com os meninos, não namorar com eles.

– Sério?

– Sério. Se eu posso ter vários, por que...

– Saquei... – respondi, meio zonza com tanta informação nova.

– Além do mais, se eu posso ter vários por que vou me prender a um só? Quando isso acontecer, eu vou estar apaixonada, pensando e querendo estar com o menino vinte e quatro horas por dia. Antes disso, quero beijar muitas bocas e ser feliz pra caramba!

Ela me deu uma bitoca estalada na bochecha antes de voar para o chuveiro. Nem percebeu que eu ainda estava de queixo caído. E me deixou a pensar. A pensar que aquela menininha que eu tanto amava e queria carregar novamente no colo havia poucos minutos tinha ido embora mesmo. Um pouco mais cedo do que eu gostaria, mas fazer o quê?

Hoje, ela escolhe roupas, livros e CDs sozinha e já beija de língua no escuro do cinema. É a menina cedendo lugar não à mulher, mas a uma linda mocinha. A minha mocinha. Que tem vontade e pensamentos próprios, opiniões formadas, certezas, desejos e verdades que borbulham na sua cabecinha adolescente. Cabeça que se orgulha de ter ideias e ideais, que me ensina muito, diariamente, e que se expressa com clareza e coerência através de gestos, atitudes e, principalmente, palavras.

É, palavras. A partir de agora, tenho certeza, ela já pode falar por si própria.

13 anos

TPM ou Todos os Problemas do Mundo

Odeio dar o braço a torcer, mas minha mãe estava certíssima quando disse que menstruação era a coisa mais chata do mundo. Estou no meu terceiro ciclo e já cheguei à conclusão de que essa sangria vai me deixar para lá de irritada pelos próximos quarenta anos, no mínimo. Que lástima! Menstruação é uó! Uó!

E o pior de tudo é que não me sinto nem um pouco mais mulher, como achei que aconteceria. Sou a mesma adolescente de sempre, só que pior, porque neste exato momento estou espinhenta e inchada (com a menstruação veio a dura constatação: além de sangrar, mulheres no período menstrual engordam e também enfeiam, já que ficam cheias de pipocas na cara, uma delícia).

Sem contar com o humor, que vira de cabeça para baixo com a TPM que, em vez de Tensão Pré-Menstrual, devia se chamar Todos os Problemas do Mundo. Nesse período horroroso tudo vira problema, tudo me leva às lágrimas, até mesmo comercial de eletrodomésticos me faz chorar minutos a fio. Nada veste bem, nada que eu bote no rosto e nas unhas me deixa bonita, nada me faz feliz. Nada. Minha vida vira um dramalhão nos dias que antecedem a *menstru*, uma mala.

Para coroar, hoje o povo da escola vai aproveitar o sol na piscina do prédio da Alice, com direito a churrasco e tudo até altas horas. E eu em casa, de molho, com saco de água quente na barriga por causa desta maldita cólica! Como dói! E pensar que eu já achei, de verdade, que menstruar era lindo. Onde eu estava com a cabeça?

Impaciência, seu nome é Malu. Comecei a ler um livro, achei chato. Fui para internet, chata. Tentei um videogame, chato. Uma revista, chata. Televisão, chaaaataaaa. O que me resta? O telefone, claro.

Sempre gostei de telefone, desde pequena. Não tem *nada* que substitua um bom telefonema entre amigas. Liguei para a Alice, que estava toda feliz arrumando as coisas para receber a galera. Morri de inveja, queria poder ajudá-la com os preparativos.

Enquanto eu falava, minha mãe andava de um lado para outro na sala. Engraçado é que ela pensa que disfarça bem e que eu não notei que ela queria, na verdade, regular o tempo da minha conversa. Minha mãe não gosta de telefone e acha que isso devia ser hereditário. Mas não é.

Conversei com a Alice sobre várias coisas importantérrimas. As músicas que seriam a trilha sonora do churrasco, o biquíni que ela usaria, se ela recebia o povo de cabelo preso ou solto, se passava o xampu para dar brilho ou o anticaspa, se botava o short azul ou o vermelho, se apresentava o Barrosinho, com quem ela está ficando, para os pais, se apresentava alguém para os pais, se dizia para o Barrosinho que o Janjão está dando mole para ela...

– Chega, Maria de Lourdes! Agora chega! Você está há uma hora neste telefone! Não é possível que você estude com essa garota, viva grudada com ela para cima e para baixo e ainda tenha tanto assunto para falar. Amanhã na escola vocês conversam.

– Ei, mãe! Para com isso. Olha a falta de respeito, eu estou falando. Desculpa, Alice!

– "Desculpa, Alice?" Desculpa, mãe, você quis dizer, não é? Você acha que telefone é um serviço gratuito, oferecido pelo governo?

– Ih, mãe, que saco! Vou ligar do meu celular, Alice, espera aí!

– Do celular? Enlouqueceu? Vai sair muito mais caro. Sou eu que pago a conta do seu celular, sabia, Maria de Lourdes?

– Malu, mãe. Malu!

– Malu uma ova! Maria de Lourdes!

– Não repara, não, Alice. A mulher acordou de ovo virado, tem um monte de trabalhos pendentes para fazer e está descarregando em mim.

– Cala essa boca! Não tem nada que ficar falando da minha vida para essa garota.

– Essa garota tem nome, é Alice.

– Pois diga para a garota que tem nome que você precisa desligar porque sua mãe é jornalista e jornalistas não nadam em dinheiro. Pelo contrário.

– Espera, mãe! Que chatice!

– Não espero, não. Quer fazer o favor de dizer para essa Alice que você tem de desligar porque sua mãe está mandando?

– Não preciso dizer, você está berrando tanto que tenho certeza de que ela está ouvindo, né, Alice? Que desligar, o quê? Vamos continuar conversando, ela precisa aprender a tratar meus amigos com educação.

– Era só o que me faltava.

– Eu trato todos os seus amigos com educação e carinho. Faça o mesmo e peça desculpas para a Alice, mãe.

– Você está me desafiando, Maria de Lourdes! Largue já esse telefone.

– Eu já estou acabando, você é que está aí atrasando tudo. Se não estivesse aqui do meu lado tagarelando eu já teria terminado há séculos.

– Ah, é? Então vamos combinar uma coisa? A partir de agora você paga as horas que passar ao telefone. Eu sublinharei todos os telefonemas que você der e descontarei da sua mesada. Que tal?

-- Absurdo.

– Absurdo é perder horas falando um monte de besteiras com uma garota que você vê todos os dias.

– Alice, vou lá, ela hoje está com a macaca.

– Olha o respeito, Maria de Lourdes!

– Malu, mãe! Malu!

No supermercado

Hoje foi dia de um dos programas mais malas da minha vida. Acontece mensalmente e é sempre assim: sem me avisar nada, minha mãe me pega no colégio, deixa meu irmão na capoeira e minha irmã no balé e me leva para o supermercado. Assim, sem dó nem piedade, sem me dar chance de argumentar, ela me sequestra por três horas. Eu, que invariavelmente saio do último tempo de aula esfomeada, tenho de me contentar com uma gororoba de fibra que ela carrega na bolsa. Às vezes nem isso, porque a parada de fibra muitas vezes está fora da validade.

No estacionamento, descobrimos que o supermercado estava lotado, demoramos uns vinte minutos para achar vaga. Dentro do mercado, passamos intermináveis minutos comparando preços, estalando vagens, analisando e tocando guelras (irc!), empurrando carrinhos pesados, entrando em fila para pesar alimentos e nos perdendo uma da outra. Superagradável. Quando me perdi dela pela enésima vez, minha paciência tinha ido para o pé. Eu estava amolada, irritada com aquela luz fria que deixa todo mundo feio, apoquentada com o bando de gente em volta, verde de fome. Que vontade de sair, de gritar! De repente, uma voz que lembrava uma buzina ecoou naquele murmurinho:

– Maria de Lourdes! Corre aqui, Maria de Lourdes! Achei uma blusinha que é a sua cara! E baratésima! Vem experimentar. Se você gostar mamãe te dá duas, uma de cada cor.

Andei na sua direção, empurrando aquele carrinho que pesava uma tonelada e soltando fumaça pelo nariz.

– Mãe, que ideia! Eu não quero blusinha nenhuma, quero ir embora. Vamos sair daqui!

– Não acredito. Só porque é de supermercado? Deixa de ser besta, Maria de Lourdes! Depois diz que eu é que sou preconceituosa. Que desgosto, minha filha virou uma metidinha prepotente!

– Quê? Não é nada disso, eu só quero ir para casa comer e descansar. Além disso, não estou precisando de roupa.

– Nem de calcinha? Ah, filha, aqui tem umas lindas de algodão... o pacote com doze custa dez reais, está de graça! E você está precisando de calcinha, Maria de Lourdes.

– Por que você quer comprar essas coisas agora? Já viu o tamanho das filas? Vamos para casa, estou morta de cansaço, estamos há duas horas rodando nessa sauna.

– Mas está tudo tão baratinho... e suas calcinhas estão furadas, puídas, com o elástico frouxo...

– Precisa falar tão alto? Sua voz está no volume máximo, parece um megafone!

– Ah, é que acabei de voltar da casa da sua avó. Ela está cada vez mais surda, aí fico assim, falando alto.

– Pois é, mas chega, não precisa mais berrar. Agora o Rio de Janeiro inteiro acha que eu preciso de calcinha, porque o Rio de Janeiro inteiro está neste supermercado. Vamos embora?

– Para o teu governo, Maria de Lourdes, roupa de supermercado é coisa muito boa, viu? Calcinha de supermercado também.

É coisa de qualidade, coisa moderna, coisa bacana. Tem gente muito criativa fazendo roupas para supermercados. Não estou dizendo para comprar sempre, mas a gente pode achar coisas divinas no supermercado.

– Mas eu não tenho nada contra roupas e calcinhas de supermercado! Só não estou a fim de roupa agora. Quero ir embora.

Nesse momento, uma senhora baixinha de cabelos encaracolados aproximou-se de nós duas e se meteu na conversa sem a menor cerimônia:

– Desculpa, mas as roupas daqui são nota mil, viu, garota? Ótima qualidade, ótimos tecidos, ótimo corte.

Não acredito! Isso podia ser um pesadelo, mas aconteceu de verdade. Ninguém merece! Ela continuou:

– Compro tudo aqui. Roupa para os meus filhos, para os meus netos, para mim... e quer saber? Ninguém nota que é de supermercado. Uma vez comprei um casaco, falei que era de Nova York e todo mundo acreditou – contou, com pinta de vitoriosa. – Essa coisa de preconceito é uma bobagem .

Ai, caramba! Quem falou em preconceito?

– Eu tenho certeza de que as roupas são ótimas, mas eu não estou precisando de nada agora. Eu estou cansada, preciso de comida e cama – expliquei.

– Cansada... cansada de quê? – espetou ela. – Essa juventude de hoje, tsc, tsc, tsc... ainda bem que eu já criei meus filhos. Esses jovens só ligam para marca, para grife conhecida. Grife nada mais é do que uma etiqueta, menina. E quem liga para etiqueta? Não seja tola, você está caindo nas armadilhas do sistema!

– Mas quem disse para a senhora que eu não quero porque é do supermercado? Eu só não estou a fim de comprar mais nada, muito menos roupa, que eu não preciso. Vamos, mãe?

– É uma mal-agradecida, a senhora vê? Mas sabe o que é isso? Encontrou uma amiguinha bestinha do colégio e não quer que ela veja a gente comprando roupa no supermercado.

Como é que é!?

– Não é nada disso! Deixa de inventar história, mãe! A Clara já deve até ter ido embora. Estou achando que a preconceituosa aqui é você, que começou com essa história sem pé nem cabeça de preconceito.

– Filha, preconceituosa é...

Ai, caramba! Essa prosa não ia acabar tão cedo. Precisava dar um corte antes que começasse tudo de novo, não há nada mais irritante do que discussão em *looping*. Precisava dizer algo interessante, precisava mudar de assunto, precisava dizer qualquer coisa para me livrar desse diálogo maluco.

– Amanhã a gente vem aqui e compra a blusinha, tá?

Inacreditável, mas foi a única coisa que consegui pensar.

– Está bem – disse minha mãe, satisfeita. – Promete?

– Prometo.

Ufa! Nem acredito que consegui, enfim, dobrar a minha mãe. Empurramos os carrinhos na direção dos caixas. Todas as filas estavam enormes. Escolhemos a menor e ficamos lá paradas um tempão. Como a fila não andava, minha mãe tentou uma última vez:

– Você não quer ficar aqui esperando enquanto eu vou lá rapidinho pegar só aquele pacote de calcinhas? Dez reais, Maria de Lourdes! Dez reais!

– Ah, mãe, fala sério...

Medo de escuro

Eu morro de medo de escuro. Culpa da minha mãe, que cantava (ou melhor, me torturava com) umas musiquinhas sinistras para me fazer dormir. Eu tentava com vontade arregalar os olhos para mostrar a ela todo o meu pânico, mas minha mãe tinha uma tática para manter minhas pálpebras fechadas: colocava as mãos em cima delas, me obrigando a permanecer no escuro total enquanto ela entoava cantigas aterrorizantes como *Jurucutu Marambaia*, um cara que, se aparecesse lá em casa, ela cantava, eu mataria sem dó nem piedade. Mataria!

Minha mãe não devia bater bem naquele tempo. Aliás, até hoje não bate. Fui tirar satisfação com ela, perguntar se eu ficaria com esse medo ridículo para sempre ou se devia procurar um terapeuta para resolvê-lo.

– Deixa de ser dramática, Maria de Lourdes. Eu cantava para você o que minha mãe cantava para mim quando eu era pequena.

– Mas como uma jornalista culta como você nunca pensou no teor das letras?

– Eu pensei, mas eram as únicas que conhecia. Espere aí! Talvez seja por isso que EU não goste de escuro.

– Você também?

– Ué, você não sabe que durmo com uma luz azul atrás da cama, para quebrar o breu?

– Mãe, então é isso! Você também sofreu traumas por conta das letras dessas músicas infantis que mais parecem de terror.

– Não, filha, alto lá! A gente não pode afirmar isso! Tudo bem que até hoje morro de pena do coitado do gato que não morreu com o pau que uma pessoa má e mal-amada atirou nele. Mas isso talvez não tenha nada a ver com o nosso medo de escuro. Afinal, essas músicas estão aí há tanto tempo... Nós não temos de culpar nada nem ninguém pelos nossos medos.

– É, a gente nunca vai saber a causa desse medo idiota.

– E nem precisa! Vamos é lutar contra esse medo estapafúrdio!

– Fechado! Medo de escuro não está com nada. Eu aposto um sorvete com você que vamos conseguir, mãe. A partir de hoje, dormiremos no escuro total, sem luz por perto. Topas?

– Topado.

Passamos a dormir de luz apagada e, em pouco tempo, perdemos o pânico que tínhamos de escuro. Fiquei feliz por ajudar minha mãe e pelo fato de ter conversado com ela sobre esse medo bobo. Ponto para o diálogo e para a determinação! Hip hip hurra!

Bem que podia ser sempre assim.

Mudança de turma

Eu nunca fui uma aluna nota dez. Era do tipo que estudava pra passar, tirava uma nota baixa aqui, outra boa ali... Em alguns meses o meu desempenho não era dos melhores, mas eu sempre passava de ano. Raspando, mas passava.

A minha mãe, claro, não concordava com o meu perfil de aluna. E a gente sempre tinha discussões chatas quando chegava o meu boletim.

– Filha minha tinha que ter nota ótima em todas as matérias! Filha minha tinha que tirar só nota dez!

– Mas eu tirei uma nota 10!

– Educação Física não conta, Maria de Lourdes! – estrilava minha mãe.

É... A minha mãe nunca deu a menor importância para as notas 10 que eu tirei em Educação Física.

– Não interessa eu ser a melhor no vôlei? A mais disputada no handebol? A que mais arrebenta no futebol?

– Não. Nada. Não entendo nota cinco em Português. Simplesmente não entendo.

– Ah, coisa chata, a língua portuguesa é cheia de regras! É difícil!

– É só ler mais, Maria de Lourdes!

– Eu leio!

– Livros, Maria de Lourdes! Livros!

– Ah... Revistas são praticamente livros.

– Fala sério, filha!

O ano foi chegando ao fim e a cada boletim era um estresse.

– Tem que ser sempre uma catástrofe na Matemática?

– Acho inútil Matemática.

– In... Inut... Inútil?! Matemática é o oposto de inútil, Maria de Lourdes! E mesmo que fosse inútil... Você tem que aprender!

– Mas é difícil...

– Mesmo assim! É só estudar mais, concentrar-se mais... O meu sonho era que você fosse uma das cinco melhores...

– Da minha turma?

– Da sua escola, Maria de Lourdes!

– Ah... Putz... Tô longe disso...

– Tá longe, mas pra mim, nada é impossível. Você vai melhorar seu rendimento como aluna, você vai ver. Eu vou tomar uma providência.

– Que providência? – quis saber, engolindo em seco. Sempre tive medo das providências da minha mãe.

Dona Ângela Cristina caprichou na roupa, subiu no salto, fez cara de séria e partiu rumo à escola.

– O que você vai fazer?

– Uma coisa pro seu bem.

Glup!

As coisas que minha mãe considerava boas pra mim não eram necessariamente boas pra mim. Ela tinha opiniões muito firmes (e erradas) sobre minhas amizades, garotos que eu achava bonitos, comida, atividades físicas, o tempo que eu passava ao telefone...

Chegou da reunião com a diretora com cara de Brasil vencedor da Copa do Mundo. Não, muito melhor. Chegou com cara de quem tinha remobiliado a casa inteira gastando quase nada.

– Depois de uma longa conversa com a coordenadora e a diretora, ficou decidido: no ano que vem tudo vai mudar.

– O que vai mudar? – perguntei.

– Você não vai mais ser da turma da Alice. Acabou! Acabou Alice!

Levei um choque. Não consegui dizer mais nada além de...

– Fala sério, mãe!

– Tô falando. Chega de conversinha no meio da aula. Suas notas baixas e seu péssimo rendimento são culpa dessa garota. Ela puxa papo com você e você não presta atenção no que os professores estão dizendo.

– Você pirou! – chiei.

– No fim do ano que vem você vai me agradecer.

– Mas eu sou da turma da Alice desde pequena!

– Vai deixar de ser. Vocês já são grudadas praticamente 24 horas por dia, não têm nada que ficar conversando durante as aulas.

– Se você acha que a gente conversa tanto como é que as notas dela são tão boas? A Alice é ótima aluna!

– Não posso fazer nada se ela é mais inteligente que você. O que não é muito difícil, né, filha?

– Você tá me chamando de burra, mãe?

– E eu posso usar outro adjetivo ao olhar seu boletim ano após ano, Maria de Lourdes? É doloroso admitir isso, ainda mais sabendo que eu sou um poço de inteligência. Seu pai é um bocó acéfalo, mas eu sou de um QI altíssimo.

– Você **tem** o QI altíssimo, é assim que se fala.

– Foi assim que eu falei.

– Arrã... Qual é o seu QI?

– Sei lá, não importa. Sei que é altíssimo. Altíssimo.

E assim, no fim do ano letivo, o meu mundo caiu. Eu e Alice chorávamos abraçadas nos corredores do colégio como se ela estivesse de partida para uma temporada de 15 anos no Iêmen. Fiquei em prova final, o que deu a minha mãe a certeza de que Alice era, sim, a culpada de todos os meus transtornos escolares.

No ano seguinte, sem minha amiga de todas as horas, parei de conversar em sala de aula, não fiz novas amizades para não perder o foco, prestei atenção em cada palavra dita pelos professores, em cada pausa, mal piscava, nunca escrevi tanto nos meus cadernos e... minhas notas despencaram.

– Maria de Lourdes! Como é que pode uma coisa dessas!? De novo: COMO É QUE PODE UMA COISA DESSAS?! As suas notas já eram ruins, como você conseguiu o feito de tirar notas AINDA piores?

– As minhas notas não são tão ruins assim... Tem muita gente pior na minha sala.

– Eu não sou mãe dessa gente pior do que você! Deus me livre! – bradou. Ela adorava dizer que não era mãe das outras pessoas. – Qual é o seu problema, minha filha?

– Não sei, acho todos os professores meio chatos.

– Professores não têm que ser legais! Seus amigos têm que ser legais, e professores não são seus amigos.

– Eu não entendo o que eles falam.

– Tá surda?

– Não! Eles têm a dicção ruim, precisam urgentemente de uma fono. Tem um que fala com um ovo na boca, parece que faz de propósito, pra gente não aprender.

As notas continuaram a cair, a cair, a cair...

– Prova final? De novo?

– Mas passei direto em Educação Física.

– Caguei pra Educação Física, Maria de Lourdes!

Depois da prova final fiquei, pela primeira vez na vida, em recuperação. Foi difícil. Além da tensão e do medo de repetir o ano, ouvir a minha mãe reclamando enquanto eu tentava me concentrar para estudar não era o cenário mais agradável para uma adolescente sob pressão.

Passei a duras penas. Mas, admito, foi por um triz.

Minha autoestima despencou, eu estava me achando a garota mais burra do planeta, a pessoa mais sem futuro que já tinha passado pela minha escola. Chorei baixinho pelos cantos, lamentei não ser a inteligência rara que minha mãe gostaria que eu fosse...

– Falei com a coordenadora. Você vai voltar pra turma da Alice no ano que vem.

– Jura, mãe? – perguntei, genuinamente feliz.

– Ruim com ela, pior sem ela... Parece que a culpa não é dela, é sua, mesmo. Será que não dá pra você aprender a ficar calada, Maria de Lourdes? São poucas horas do dia que você passa na escola.

Eu não tinha argumentos. Não adiantava dizer que fiquei muda durante todas as aulas do ano sem a Alice, muito menos dizer que lotei meus cadernos com anotações importantes... Nada disso faria sentido para a minha mãe.

– Ok, mãezinha. Eu fiquei calada nesse ano, mas prometo ficar mais ainda no ano que vem. Prometo.

– Bom.

– Mas promete também não se meter tanto na minha vida, a ponto de pedir a minha mudança de turma? Foi ruim pra mim, foi ruim para a Alice... Promete que não faz mais isso?

– Eu aprendi a lição, Maria de Lourdes. Cruzei a linha, passei dos limites. Errei. E a gente aprende com os erros. Desculpa.

Adoro quando minha mãe dá o braço a torcer. É raro, mas acontece. Aconteceu nesse dia.

– Não é porque você é má aluna que vai ser uma má profissional, é isso que seu pai diz. E ele tá certo. Todo mundo tá certo, eu é que, querendo fazer o certo, achando que estava fazendo o certo, meti os pés pelas mãos e errei feio.

– Errou, passou. Todo mundo erra. Dá um abraço? – pedi.

E num abraço forte e sincero, entendemos que as coisas não são sempre como a gente quer que elas sejam. Na verdade, quase nunca são do jeito que a gente quer. Mas tudo bem. É errando que se aprende, é estudando que se passa de ano, é respeitando o outro (e sendo respeitado) que se é feliz... Lição aprendida.

Não repeti nunca. E fui sempre nota 10 em Educação Física. Só em Educação Física.

14 anos

Viva o futebol!

Desde pequena eu vejo minha mãe travar brigas homéricas com meu pai por causa da televisão. Faz sentido. Ele acha que tem o direito de guiar a nossa vida pelas partidas de futebol e a programação esportiva do fim de semana; ela acha que o certo seria aproveitar os dias de folga para fazer programas em que a família toda esteja unida, confraternizando, como piquenique, teatro, exposições.

Tricolor convicto, meu pai sempre ignorou essas iniciativas de programinhas família. Para ele, o fim de semana perfeito consiste em ficar esparramado no sofá a tarde inteira vendo jogos importantíssimos como Bangu X Cabofriense, América X Friburguense, e por aí vai. Meu pai vê qualquer jogo. A qualquer hora. E isso irrita, não tiro a razão da minha mãe. O pior é quando acaba o futebol e ele emenda no que estiver passando na tevê: esgrima, corrida de cachorros, tênis de mesa, campeonato de xadrez, de sinuca. E, acredite, continua a vibrar e sofrer com toda intensidade na frente da tela.

Mas minha mãe entrou no jogo. Pensou: "Então ele gosta de futebol? Eu também posso aprender a gostar dessa porcaria." Tirou de letra o desafio. Da noite para o dia, passou a estudar o assunto, a ir aos estádios, a assistir aos jogos, a ler o caderno de esportes, a ver mesas-redondas tarde da noite... em pouco tempo sabia de cor os nomes de titulares e reservas do Fluminense (um feito e tanto em se tratando de uma mulher).

O amor pelo futebol passou de mãe para filha e, hoje em dia, vemos jogos aos urros. A diferença é que sou botafoguense. Escolhi o Botafogo, para desespero dos meus pais, quando pequena, porque gostava da combinação do preto com o branco e achava aquela estrela uma graça, amo estrelas. Atualmente, além de não fazer feio nas peladas do colégio, torço pelo Botafogo com as vísceras. Resultado: domingo passado, meu pai pedia silêncio na sala, ordem na casa, clamava por um calmante para botar no que bebíamos, queria, a todo custo, calar a nossa boca. Pudera. O coitado não conseguia escutar os comentários da tevê. Só os nossos.

– O time tá jogando aberto. Assim não dá! – reclamou minha mãe.

– Pior é a gente, que está jogando lá atrás. Sai daí, menino, chuta essa bola para frente! Para frente! – opinei, esbanjando conhecimento futebolístico.

– Eeeca! Por que é que todo jogador de futebol vive cuspindo? E por que mostram a cusparada sempre em close? – descontraiu Malena, minha irmã caçula, seis anos mais nova do que eu.

– Cala a boca, mulherada! Tem gente paga para comentar a partida. Vamos ouvir o que eles estão dizendo – implorou meu pai, nervoso, olhos fixos na tela.

– Não acredito! Que impedido, que nada! Não tem mãe, não, ô, juiz filh...

– Olha a boca suja! Sem palavrão, filha, já combinamos isso – repreendeu-me minha mãe. – Armando, querido, o que nós já conversamos sobre descanso de copo? Olha a mesa, está ficando toda manchada, tsc.

– Arrã, depois eu limpo.

– Depois? Depois quando, Armando? Até você decidir limpar, a mesa vai ficar manchada mesmo, e que se dane?

– É, é isso – rebateu papai, sem piscar e sem tirar os olhos atentos da tevê.

– Não, não. A questão não é limpar, Armando... precisamos mudar nossos hábitos, temos tantos descansos de copo, todos lindos... olha aí, está pingando tudo, caindo no tapete.

– Pô, Ângela, agora não dá para prestar atenção nisso, meu amor, passa essa bola, passa essa bola...

– Mas é só levantar e pegar no armário, o que é que custa?

– Já vou pegar! – estourou ele.

– Ih, pai, não precisa ser grosso... – reclamei.

– Assim não dá, a bola não está chegando no ataque! – Ele deu uma de técnico.

– Depois vamos pegar uma comédia para ver? – sugeriu Malena.

– Gente, assim não dá, vou ter de comprar uma televisão só para mim, está cada vez mais insuportável ver jogo com vocês – resmungou meu pai, enxugando o suor tenso da testa e dando uma golada na sua cerveja, que continuava pousada na mesa, sem descanso de copo.

– Não é possível. Passa essa bola, passa essa bola, passa ess... na cara do goleiro e o idiota me perde essa chance! – chiei.

– Acho esse cara bonito – comentou minha irmã.

– Quem, o 9 ou o 10?

– O 10. Qual o nome dele?

– Falta! Foi falta! Ah, não! O cara não vai dar falta? Que é que é isso? Juiz de m...

– Armando, atenção com o vocabulário perto das crianças!

– Tá bem, Ângela! Juiz porqueira! Juiz irresponsável, juiz vendido! Vendidooo! Filho de uma égua!

– Assim está bem melhor – elogiou minha mãe, genuinamente feliz com os bons modos do marido. – Viu como dá para ver futebol sem palavrão? É só se policiar.

– Pai, qual o nome do camisa 10?

– O nome dele é... PÊNALTI!

– U-uh, foi pênalti, Armando! Vamos dar as mãos e torcer, amor, torcer muito. Mas não vamos deixar o nervosismo entrar, antes respira, respira, lembra o *yôga*...

– Que *yôga*, Ângela? Que *yôga*? Fala que nem macho, i-ó-g-a! Ou você por acaso diz futebôl? Se não é futebôl, não é yôga, é ioga... não me venha com frescurinha, estou irritado!

– Ah, pai, dá um tempo! Gente, que juiz brega! Que topete é esse? – observei.

– Deve ser brilhantina – esclareceu mamãe.

– Brilhantina? O que é que é isso? – quis saber Malena.

– É a prima pobre do gel. Será que dá para a gente focar no jogo agora? – pediu papai.

– Como assim "prima pobre do gel"? – perguntou minha irmã.

– Não sei, filha, não sei! Nem sei por que falei isso, depois a gente conversa sobre esse assunto interessantíssimo. Agora vamos ouvir o que eles estão dizendo! Vamos ficar quietinhos e fazer a brincadeira do silêncio? Vamos lá, Vaca amarela...

– Não diga bobagem, Armando, elas não são mais crianças para brincar de Vaca Amarela...

– Ih, o papai está chato hoje – reclamei.

– Hoje? – completou minha irmã, implicante.

– Cacetada! Devia ter ido com o Mamá e os amigos dele para o Maraca, viu? Lá eu ia ter sossego!

– Que Mamá, Armando? Quem é Mamá? Armando Batista Siqueira da Paz, espero que você não chame nosso filho de Mamá longe de mim. Não incentive esse apelido medonho. O nome dele é Mário Márcio. Mário Márcio! – estressou-se mamãe.

– Vamos ficar calados para torcer! Momento importante do jogo...

– Vai errar, vai errar! – gritava eu.

– Senta e para de pular, Malu, assim tira a concentração da gente...

– Deixa ela, Armando, não implique com a menina só porque ela é botafoguense. E o nome dela é Maria de Lourdes!

– Vamos ver a cobrança, mulherada! Olha a cobrança! Sai da frente da televisão, Malena! Você acha que é vidro, minha filha?

– É gol! Goooooll! – anunciou o locutor.

– Aí! Olha aí! Não vi a porcaria do gol. Não acredito.

– Uuuuuh! Uuuuuuuh! Sai Flu! Perde Flu! Que se dane o Flu! O Flu não é de nadaaaa! Uuuuuuuuh!

– Cala essa boca, Maria de Lourdes! Vamos torcer sem agredir os adversários! – pediu minha mãe.

– Meu Deus do céu! Meu Deus do céu, como pode ser tão difícil para vocês ficar em silêncio? Falam pelos cotovelos até vendo futebol! – exasperou-se meu pai, num verdadeiro ataque de perereca. – Eu só queria um pouco de sossego... olha aí, olha aí! Expulsaram o zagueiro e eu nem vi por quê! Você viu, Ângela?

– Não, estava pensando no que vocês achariam de um petisco. Pipoca ou amendoim?

– Ssshhhh! Depois a gente pensa em comer, agora não, né? Vamos prestar atenção no jogo – implorou ele.

– Eu topo pipoca – respondeu Malena.

– Doce ou salgada?

– Doce – pediu minha irmã.

– Salgada – contrariei.

– Doce! Doce! Doce! – venceu Malena, pela insistência e pelo aumento de volume da voz.

– Deus, dai-me paciência, por favor! – pediu meu pai, controlando-se para não atirar o aparelho de tevê em cima da gente.

– É goooool! Goooooool! Do Botafogo! Final de jogo dramááático aqui no Maracanã – anunciou o locutor.

– Pai, por que na hora de comemorar o gol, que é quando os jogadores são exaustivamente filmados e fotografados, os caras tiram a camisa? Não seria mais apropriado mostrar amor à camisa? Mostrar respeito aos caras que pagam o salário deles? O patrocinador não reclama? Os dirigentes do time não reclamam? Como deixam isso acontecer?

– É... acho que isso pode dar uma matéria, Malu. Depois a gente conversa.

– Puxa, até que enfim você deu atenção para mim. Eu também acho que...

– Chuta! Chuta essa bol... não de trivela, seu imbecil! – reclamou meu pai, usando toda a capacidade de sua goela, ignorando novamente minha presença.

Droga. Depois de uma partida tensa, o Fluminense levou a melhor, dois a um. E mesmo assim meu pai terminou o jogo de cara amarrada. Mas era só o começo do campeonato. Muitas águas rolariam ainda. Prevendo isso, ele providenciou o que anunciara. Comprou uma tevê nova para o quarto e se tranca lá sozinho com umas cervejas geladas e um pacote de amendoim em dia de futebol.

Tijuca, não!

– Tchau, mãe, vou estudar na casa da Joana! – gritei, já quase batendo a porta de casa.

Conversinha esse papo de estudar junto. A Jô ganhou do pai dela, que acabou de voltar de viagem, um superkit de maquiagem e esmalte. Supercolorido, todas as cores de tudo. Não vejo a hora de experimentar cada rímel, cada gloss, cada coisinha.

– Onde é que essa Joana mora? – gritou ela de dentro do banheiro.

– Do lado do açougue.

– Na Tijuca!?

– É. Aqui na Tijuca.

– Aqui na Tijuca, não, senhora! Aqui não é Tijuca! Aqui é Grajaú!

– Fala sério, mãe! A casa dela fica a dois quarteirões daqui. Sinto informar, mas moramos na Tijuca.

– Nananinanão! Nós moramos no Grajaú! É só checar a conta do gás, do telefone, da luz... são todas para o Grajaú. Pode conferir, estão na minha mesinha de cabeceira. Só a incompetente da companhia do celular é que acha que nós moramos na Tijuca. É a única conta que chega berrando: TIJUCA. Já liguei para reclamar. Dez vezes! Não fazem nada. Nada, nada, nada! Ninguém faz nada direito nesse país.

– Ih, mãe... que foi que houve? Brigou com o papai de novo? Ou está na TPM?

– Cala essa boca, Maria de Lourdes! Você está com a porta de casa aberta gritando isso? Entra agora! Olha os vizinhos!

Não resisti:

– Que vizinhos? Os vizinhos da Tijuca?

– Eu não moro na Tijuca! Eu moro no Grajaú! Está no mapa da Prefeitura, Maria de Lourdes, a Tijuca fica só a duas ruas daqui! Portanto, eu NÃO tenho vizinhos da Tijuca!

– Que coisa ridícula! Que pequeno! Não acredito que você foi checar no mapa da Prefeitura. Horrível você pensar assim! Qual o problema da Tijuca?

– Ah, Maria de Lourdes, o Grajaú é muito mais chique, muito mais residencial, muito mais aconchegante, muito mais arborizado.

– Que doida! A Tijuca é um bairro ótimo, mãe. A sua padaria é na Tijuca, as suas amigas moram na Tijuca, sua locadora é na Tijuca, meu colégio é na Tijuca. E, verdade seja dita, você compra seus sapatos na Tijuca!

– Nããão! Fala baixo, garota!

– Sim! Sapatos, sua grande paixão. E compra na liquidação! Pagando em 12 vezes. Doze vezes! – berrei o mais que pude com a cabeça totalmente para fora de casa, voltada para o corredor do andar. Que ridículo ela pensar assim do nosso bairro!

– Maria de Lourdes, querida, você não estava de saída? Pode ir, sim? Beijo!

– Beijo, mãe. Vou estudar bastante! Aqui na Tijuca mesmo, tá? Pertinho, não precisa se preocupar! Tchau! – impliquei.

Bati a porta e desci correndo as escadas do prédio. Ela ficou do banheiro gritando coisas que não consegui entender. Ainda bem.

Festa de debutante

– Não tem a menor condição de o bolo ser uma bandeira do Fluminense, mãe! Ficou maluca?

– Por quê? Seu pai ia ficar tão feliz, e o que conta é o recheio. Pense bem, Maria de Lourdes, ele vai gastar tanto dinheiro nessa festa... o bolo tricolor seria um agrado, querida. Mas a moça pode fazer também a camisa laranja, que você tanto adora.

– Pirou? Não adoro nenhuma camisa do Fluminense, eu sou Botafogo! Só elogio a laranja porque já que todo domingo o papai almoça uniformizado, melhor ela que a tricolor. Menos mico.

– Então está bem, esquecemos o Fluminense. Uma pena, porque já que reservamos o salão de festas do clube teria tudo a ver um bolo temático.

– Bolo temático? Você está louca? Não existe a menor possibilidade de eu querer uma festa temática no Fluminense, mãe! Que ideia! Que obsessão tricolor!

– Está bem, está bem, depois a gente conversa sobre isso. Voltemos ao bolo. Que tal fazer um de três andares, tipo cascata?

– Nem pensar!

Eu nem queria festa. Achei um absurdo os meus pais planejarem uma festa de debutante à moda antiga sem perguntar a opinião da maior interessada, a aniversariante aqui. Ainda bem que ouvi a conversa dos dois ontem à noite, senão estaria ferrada.

– Queríamos fazer surpresa. Nunca achamos que você daria esse piti.

– Eu não gosto daqueles vestidos tipo bolo, não gosto de valsa, não gosto de pompa, não quero ser obrigada a dançar com ninguém e não quero dizer às minhas amigas o que elas devem vestir. Acho *uó* festa de 15 anos. Uó! O maior mico.

– Que mico, o quê? Festa de 15 anos é uma coisa linda, para vida toda, fica na memória da gente para sempre. Você não viu o álbum de fotos da festa da sua mãe, que espetáculo?

– Uma cafonice sem fim aquele álbum. A começar pela capa, de veludo rosa e fecho dourado, ninguém merece!

– Você é uma estúpida, não entende nada de nada. E o papel--manteiga entre as fotos? Não vai comentar? Diga para mim, Maria de Lourdes, tem coisa mais sofisticada que papel-manteiga?

– Consigo pensar em pelo menos um milhão de coisas mais sofisticadas que papel-manteiga, mãe! Que viagem! Preferia uma coisa mais legal para comemorar meus 15 anos, tipo ir para a Disney ou botar silicone.

– Que silicone? Você só pode estar brincando, Maria de Lourdes. Não vou nem discutir essa hipótese.

– Por quê? Eu ia amar ganhar peitos novos, isso sim seria um presentão.

– Não diga sandices! Você é uma criança, seus peitos ainda vão crescer.

– Vão nada, pareço uma tábua de passar.

– Claro que vão, filha. Quando você crescer e tiver o próprio dinheiro bota silicone, está bem?

– Tá, né? Fazer o quê?

– Que ideia pedir peito novo de presente! Ai, se seu pai ouve isso!

– Festa, então, só se for numa boate que eu escolher.

– Mas festa de debutante em boate? Não combina! Festa de debutante que se preza é em salão de clube ou de bufê chique. Já tinha pensado em tudo, ia ser uma festa tão linda...

– Tão caída!

– Tão tradicional...

– Tão nada a ver comigo!

– Tão romântica...

– Tão queima-filme!

– Tão animada...

– Tão mico! Esquece essa festa e me leva para a Disney! Por favor!

– E o meu vestido, que já mandei fazer na costureira?

– O quê? Mãe, você nem perguntou se eu queria festa, como assim encomendou o vestido?

– Há anos eu tenho no armário um tecido que a sua avó trouxe de Paris, guardado para uma ocasião especial. Somado a isso, a Dinorah, a costureira, me ligou outro dia, coitada, está sem dinheiro, a clientela sumiu, reclamou à beça e depois perguntou se eu não tinha nenhum vestidinho para fazer. Então encomendei esse para o seu aniversário. A gente precisa ajudar as pessoas, Maria de Lourdes.

– Ótimo ajudar. Mas guarda o vestido para outra ocasião.

– Para o seu casamento, então, com 19 anos.

– Quem disse que eu vou casar com 19, mãe?

– Que espanto é esse? Eu casei com 19 anos. É uma idade linda.

– Sem chance. Quero namorar muito com 19, 20, 21, 22... aí, quem sabe, começo a pensar em casamento.

– Ah, então vamos fazer a festa de 15 anos. Não vou gastar uma fortuna num vestido que vai ficar no armário pelos próximos oito anos. Até lá já saiu de moda.

– Mãe, eu não quero festa de debutante. Minha vontade não conta?

– Conta, mas agora não dá mais tempo, está muito em cima e já está tudo marcado: bufê, salão de festas, decoração, flores, orquestra... só falta fechar com a mulher do bolo. Não tenho coragem de ligar para desmarcar, fica chato....

– Não fica nada chato, mãe. Faltam cinco meses para o meu aniversário, dá para marcar e desmarcar mil festas. Deixa que eu ligo. Com o maior prazer.

– Ih, está bem, Maria de Lourdes! Assim não tem clima para festa, mesmo.

– Ótimo. O que vocês vão me dar, então?

– Hum... deixa eu ver... já sei! A gente pode te dar um quarto novo. Botar tudo em salmão. Salmão e bege. Bege é muito chique.

Salmão e bege?

– Salmão é *uó* e bege... é bege, caramba! Tem coisa mais sem graça do que bege? E quem disse que eu quero um quarto novo? E nessas cores horrendas? Eu gosto do meu quarto como está.

– Mas ia ficar tão lindo... e sairia bem mais em conta que a festa.

– Ótimo, mas não. Mãe... vamos fazer uma coisa diferente? Eu escolho o presente, tá?

O meu Francês

Voltei de viagem hoje. Passei com minha avó e meus irmãos uma semana em Tiradentes, Minas Gerais. Ô, terra boa! Voltei com insuportáveis três quilos a mais, de saco cheio dos meus irmãos (viajar com eles é chato, chato, chato), mas também descansada, renovada, bem-humorada, com fôlego novo. Cheguei em casa cantando, dando pulinhos, toda alegre. Enquanto a Malena e o Mamá iam para o quarto desfazer as malas, minha mãe me puxou num canto e comunicou:

– Renovei sua matrícula no colégio.

– Oba, mãe! Obrigada. Deu tudo certo?

– Certíssimo. E com uma novidade. A partir de agora, e pelos próximos três anos, você vai falar...Francês! Tcharããã! – disse ela, com um sorriso de orelha a orelha. – E não precisa me agradecer, viu?

– Francês? Por quê? – quis saber, indignada.

– Porque Inglês você já faz curso, já sabe, já fala mais ou menos... achei que seria melhor aproveitar os últimos anos de colégio para aprender uma nova língua, então te botei na turma de Francês – explicou, lançando mão da quase inexistente coerência materna.

– Você só pode estar brincando. Como é que eu vou fazer agora?

– Vai estudar Francês, ué.

– Eu não quero estudar Francês! Nunca tive a mínima vontade. Como é que você teve coragem de fazer uma coisa dessas comigo, mãe? Que absurdo!

– Porque achei que você ia gostar. A língua francesa é tão chique, tão bonita, tão imponente!

– Tão complicada, tão cheia de bico, tão lotada de verbo! – reclamei. – Preciso trocar isso agora. Será que a secretaria está aberta?

– É... hum... filhinha... queridinha... não vai dar para você trocar. Acabou ontem o prazo para alterações na matrícula, as turmas estão fechadas.

– Não é possível! Mãããäe! O que foi que você fez? Você não podia fazer isso, eu não sou mais criança – esperneei o quanto pude.

– É que eu te amo, meu Deus!

– Ama nada! E Deus não tem nada a ver com isso, coitado!

– Você é mesmo a rainha do drama, não é, Maria de Lourdes? Eu te faço um favor e recebo em agradecimento patadas e mais patadas? O que é que tem de tão ruim na aula de Francês?

– Tudo é ruim na aula de Francês. Tudo. Você tem noção de que daqui a dois anos eu vou ter de estudar feito uma louca para o vestibular? Como é que você me arruma mais uma matéria para estudar, mãe? E sem necessidade, porque no vestibular eu não vou fazer prova de Francês, vou fazer de Inglês!

– Mas estudar e aprender coisas novas é sempre ótimo.

– Mãe, será que dá para você se colocar no meu lugar por um minutinho? Você acha ótimo aprender coisas novas. Eu não. E sabe por quê? Porque eu não sou você.

– Maria de Lourdes, poupe-me de seus sermões adolescentes, sim?

– Não, não vou te poupar, não! Todos os dias da minha vida eu faço um monte de coisas só porque você quer. Vou ao Inglês porque você quer, faço natação porque você quer, leio livros que você e os professores me obrigam a ler, vou a museus que você escolhe, faço programas que você acha legais, dou satisfação em casa porque você acha certo... será que não dá para entender que, pelo menos na minha matrícula, eu queria ter um pouquinho de autonomia?

– Que drama! Como você é mal-agradecida, como é geniosa! Maria de Lourdes, que gênio ruim você tem! Seus irmãos são tão meus amigos, tão fofos, tão zen...

– *Zen* noção! Não entendo como não se rebelam contra essa sua mania de querer mandar e desmandar na nossa vida. Também você não enche o saco de nenhum dos dois como enche o meu!

– Faço tudo para te ajudar, para te tornar uma pessoa melhor...

– Como é que o Francês vai me tornar uma pessoa melhor? Por enquanto o Francês só me deixou injuriada, irritada, chocada, pau da vida. Custava ligar para perguntar?

– Custava. Interurbano custa dinheiro. E eu não achei que você fosse reagir dessa maneira estúpida. Nunca mais faço nada para você.

– Jura? Muito obrigada!

– De nada, filha. Não precisa agradecer agora. Quando você viajar para Paris e conseguir se virar sozinha, aí, sim, você vai me agradecer.

– Paris, mãe? Eu não quero Paris! Eu quero ir para a Disney! Disney!

15 anos

Na Disney

Convenci meu pai de que o melhor presente que ele poderia me dar de aniversário era uma viagem à Disney. Nada difícil, foi só mostrar que, na ponta do lápis, viajar sairia bem mais barato do que a festa estilo anos 1950 que ele e minha mãe (ela, principalmente) tinham planejado para mim.

A minha intenção, obviamente, era ir sozinha, numa excursão com gente da minha idade, para conhecer pessoas, fazer novos amigos, beijar alguma(s) boca(s), essas coisas. Mas meu pedido foi ridicularizado e veementemente negado por meus progenitores.

Como o chefe do meu pai não cedeu aos seus apelos e não lhe deu mesmo uma semana de folga, ele decidiu: ficaria no Rio com meus irmãos e me despacharia para Orlando com a minha mãe.

Imediatamente, começou a discussão. Ela queria porque queria incluir Miami na viagem, eu nem cogitava conhecer outro lugar que não os parques de Orlando.

– Miami merece uma visita, é uma cidade tão linda, tão chique... o que custa passar dois dias na capital da Flórida?

– Miami não é a capital da Flórida!

– Pra mim é! – mamãe aumentou o tom de voz. – Vamos! Dois dias só!

– Nem pensar, mãe! São só quatro dias de viagem, lembra? E você praticamente conhece Miami, já que Miami é a Barra. Só que, pelas fotos, é uma Barra em tom pastel – espetei.

– Então! Linda! A Barra é linda.

– A Barra é horrenda.

– Vamos para Miami! Eu quero andar de barco e conhecer as mansões dos ricos e famosos...

– Ui! Juro que estou fazendo força, mas não consigo pensar num programa mais chato e tedioso do que esse – reagi. – Espera aí... é a mansão do Julio Iglesias que você quer ver, não é? Confessa, mãe, você ainda nutre uma paixão platônica pelo Julio Iglesias? Que coisa caída e ultrapassada gostar do estilo latino sedutor daquele cara... Você disse que tinha parado com essa obsessão julioiglesiana... tsc, tsc, tsc...

– Eu parei! Mas o que tem de mau em querer conhecer a casa dele? Vai que a gente esbarra com o Julio Iglesias em Miami, já pensou que delícia?

– Que delírio! E que lástima viajar e esbarrar com o Julio Iglesias. Não podia ser com a Shakira, que também tem casa lá?

Uma breve discussão inútil entre nós duas se seguiu e logo depois batemos o martelo: Orlando ganhou. Era lá, só lá, que iríamos passar os quatro dias de viagem. Afinal, o aniversário era meu, o presente era meu, a viagem era minha, ela era uma intrusa.

Mas nenhum desses argumentos a convenceram. Minha mãe me obrigou a decidir no par ou ímpar.

– Ainda bem que ganhei! Mas não precisa ficar triste, na próxima viagem você vai com o papai para Miami, tá?

– Na próxima vida, você quer dizer. Seu pai não suporta viajar. Gosta é de ficar em casa, alisando essa barriga imensa, com uma cerveja do lado e a tevê ligada no canal de esportes.

– Quer coisa melhor que isso? Viajar para quê? – implicou ele, alisando a barriga, com uma cerveja do lado e a tevê ligada no canal de esportes.

Depois de presenciar este pequeno atrito, convidei minha mãe para viajar com a gente. Afinal, viagem é que nem festa, começa nos preparativos. Ela topou e, em pouco tempo, estávamos felizes da vida, com a mente longe, pensando e planejando nossos dias nos Estados Unidos.

Fomos por conta própria, sem excursão. Um amigo do meu pai conseguiu um descontaço nas passagens aéreas. Já no avião, vi que teria problemas. Às cinco da manhã, horário de Brasília, seis horas de voo depois, acordo com uma porrada no braço.

– Você, hein, Maria de Lourdes? Você não é mole, não!

– Fala baixo, mãe, está todo mundo dormindo! – sussurrei, enquanto enxugava a baba. – Você me acordou para dizer isso!?

– Foi. Para dizer isso e para dizer que não estou com nenhuma inveja por você estar dormindo ininterruptamente há quatro horas e cinquenta e sete minutos.

– Eu não tenho culpa se você não consegue dormir em avião... – disse, grogue de sono e ainda sem acreditar naquela falta de noção.

– Nunca vi um negócio desses! Você olha para uma aeromoça e, pimba!, dorme. Comissários de bordo te dão sono! Quer coisa mais irritante?

– O melhor a fazer num avião é dormir, mãe. O tempo passa voando.

– Pois é, deve ser ótimo, mesmo. Eu é que sofro, fico sem ninguém para conversar. E sabe o que é pior? Olhar para o lado e ver você dormir profundamente nessa poltrona de classe econômica, desconfortável, pequena e nada reclinável. Como você consegue essa proeza, Maria de Lourdes? Hein? Hein?

– É só relaxar...

– Você está relaxando desde que entramos neste avião. Dormiu antes do jantar, acordou para comer e voltou a dormir. Parece que faz de propósito, só para implicar comigo.

– Você ainda está falando... não acredito... boa noite, mãe – comentei, com um olho fechado e outro aberto.

– E ainda é egoísta! Ô, menina egoísta! Nem fazer companhia para a sua mãe você vai?

– Claro que não. Arruma uma coisa para se distrair. Ouve uma música, lê uma revista, mas não me inclua na sua insônia, por favor! Eu quero dormir! Preciso voltar a sonhar o sonho bom que eu estava sonhando.

Sonhei que estava dando umas bitocas no Cesão, meu professor de geometria. Nem tenho paixão platônica por ele nem nada, mas no meu sonho o Cesão beijava bem à beça e minha mãe me atrapalhou no momento mais gostoso, quando nosso beijo estava completamente entrosado e encaixado e a coisa começava a esquentar.

Paciência.

Chegamos a Orlando e ela criticou tudo no hotel.

– Em Miami, a qualidade da roupa de cama deve ser muito melhor.

– Fala sério, mãe! Eu não estou nem aí para a roupa de cama!

Mal entramos no trem que leva ao Magic Kingdom, o parque principal do complexo Disney, minha mãe começou a me irritar. Fez amizade com um grupo de... brasileiros. Que como todos os brasileiros em viagem eram... muito empolgados.

Quando chegamos ao parque, ela grudou nos tais brasileiros, umas dezessete pessoas, e deu a entender que passaria o resto do dia (ou da vida, tamanho entrosamento) colada neles.

– Mãe! Se você acha que vou ficar o dia inteiro com essa gente que eu nem conheço está muito equivocada.

– Lá vem você com sua antipatia. Eles são brasileiros, Maria de Lourdes!

– Oh! – debochei. – Você sabia que nasce brasileiro todo dia no Brasil? E que os nossos vizinhos são brasileiros e que todas as pessoas que vemos na rua todos os dias são brasileiras? Por que tanta felicidade só por encontrar brasileiros, mãe?

– Ih, que garota chata! É que, além de brasileiros, nossos novos amigos são de Minas e nós amamos sotaque mineiro.

– Nós não amamos sotaque mineiro. E eles não são nossos amigos, são seus amigos. Odeio quando você resolve falar na primeira pessoa do plural, mãe, pode parar com isso. O que eu não entendo é o excesso de simpatia. Você puxaria conversa com um desconhecido num ônibus, no Rio?

– Não, claro que não.

– Então por que fazer isso aqui?

– Vai que a gente faz amizade com eles, Maria de Lourdes! Não ia ser bacana?

– Não!

– Como não? Eles são de Minas, mas estão sempre no Rio. Temos grandes chances de engatar uma amizade, são muitas as afinidades. Descobrimos, por exemplo, que a prima da cunhada do Oswaldinho, a Marlene, mora duas ruas depois da sua avó. Olha que maravilha.

– Oswaldinho? Quem é Oswaldinho, mãe? Que intimidade é essa? Você acabou de conhecer essas pessoas!

– Ah, o Oswaldinho... o Oswaldinho é uma figura, Maria de Lourdes. Ele que está na fila para comprar os nossos ingressos. É piadista, pagodeiro de fim de semana, faz uma imitação ótima do Martinho da Vila, é dono de oficina mecânica... e é sempre bom ter um mecânico de confiança, você sabe.

– Em Minas? A algumas centenas de quilômetros da nossa casa? Claro...

– Você só está de implicância porque não conhece o Oswaldinho. Ele é filho da dona Nenê, aquela senhora ali, que é uma simpatia. Dona Nenê! Venha cá, querida, minha filha quer conhecer a senhora!

– Eu não quero conhecer ninguém!

– Quieta! Não vai fazer desfeita para a dona Nenê, ela é uma senhora.

Tragédia. Tragédia, tragédia, tragédia! Não tenho outra palavra para definir essa viagem. Também, o que eu queria? Viajar com a mãe só podia dar em tragédia!

Cinco brinquedos para agradar às crianças dos brasileiros depois, fomos a uma loja. Entre bichos de pelúcia, produtos Disney, roupas Disney, vendedores Disney, pessoas Disney e chapéus de Mickey (aliás, minha mãe não sossegou enquanto não comprou um, inacreditável!), nós nos perdemos dos "novos amigos". Eu fiquei felicíssima. Mamãe, arrasada. Mas sua tristeza logo deu lugar a um sorriso.

– Olha lá o Tio Patinhas, Maria de Lourdes! Que legal! Vamos lá! Vamos já! Mamãe tira uma foto sua com ele!

Mamãe surtou. Mamãe não podia estar em seu estado normal. Por que mamãe estava tão animada com a presença do Tio Patinhas?

– Para quê? – quis saber, indignada.

– Para todo mundo ver que você veio à Disney e tirou uma foto com o Tio Patinhas, ora.

– Eu não tenho oito anos, mãe. E nem gosto do Tio Patinhas.

– Ah, que bobagem, Maria de Lourdes. O Tio Patinhas é ótimo.

– Eu não acho. Eu não gosto do Tio Patinhas. É cheio da grana mas é pão-duro.

– Ele é econômico.

– O Tio Patinhas? Ah! O Tio Patinhas é a sovinice em pessoa, mãe!

– Você não pode julgar o Tio Patinhas assim, minha filha...

– Claro que posso! Todo mundo em Patópolis sabe que o Tio Patinhas é um unha de fome. Prefiro o Pato Donald.

– O Pato Donald? Não diga sandices, minha filha! O Pato Donald é um antipático. Sempre irritado, impaciente, reclama da vida, da Margarida, reclama de tudo. Aliás, nem sei como aquele ali arranjou namorada.

– Porque ele é autêntico e engraçado. Já o Tio Patinhas deve ser uma porcaria de pato, está sempre encalhado, não namora nunca... ou será que o Tio Patinhas é gay?

– O Tio Patinhas não é nada disso, ele apenas não achou a pessoa certa ainda.

– Eu gosto do Pato Donald e ponto final – tentei encerrar aquele diálogo surreal.

– Tá bem, tá bem, então vamos ver se encontramos o Pato Donald por aí. De repente ele até está com o Patinhas, que é tio dele. Aí a gente tira uma foto sua bem fofa com o Pato Donald. E com o Tio Patinhas.

– Eu não quero tirar foto com o Pato Donald, muito menos com o Tio Patinhas! Não estou nem aí para o Pato Donald e para o Tio Patinhas! Eu quero ir nos brinquedos! – estourei.

Expliquei que tínhamos pouco tempo de viagem e que precisávamos aproveitar ao máximo cada minuto fazendo o que eu (a aniversariante, a razão por estarmos ali) estava realmente a fim, e não tirando foto com dois caras vestidos de pato.

No fim do dia, estávamos cansadas de tanto andar de um lado para outro e pagar alguns micos memoráveis com nosso Inglês macarrônico. Ah, sim! Também aproveitamos o dia para brigar. Como discutimos! Ela queria porque queria levar um pesadíssimo kit sinuca do Mickey, com 12 pesadíssimas bolas estampadas com a foto do camundongo numa pesadíssima caixa de madeira.

– Ninguém pede para uma amiga trazer um kit de sinuca de viagem, mãe! Isso é praticamente um baú. E pesa uma tonelada!

– Mas ela tomou conta de você tantas vezes quando você era menor...

– Há séculos! Diz que não tinha!

– É? Hum... tá.

Caminhando rumo ao portão de saída, avistamos, a alguns metros de nós, um pato tamanho família de cartola na cabeça e bumbum arrebitado que não deixava dúvidas. Era ele, em pena e osso, bico e óculos, o Tio Patinhas. Ela me olhou e disse:

– Por favor!

– Tá! – reagi seca, ríspida, ah!, fula da vida mesmo!

Mal-humorada até a raiz do cabelo, tirei a foto com o Tio Patinhas. Mas ela ficou tão feliz que nem puxei outra briga. Os dias seguintes foram divertidos. Eu cedendo um pouco, minha mãe cedendo outro pouco e a viagem transformou-se em delícia já no segundo dia.

Três dias, 797 cachorros-quentes e 574 pequenas discussões depois, voltamos para o Rio. Foi um presentão de aniversário.

A parte mala da viagem ficou por conta da foto com o Tio Patinhas. Jamais teria tirado se soubesse que, após o clique, minha mãe decidiria fazer uma coleção de fotografias com todo o elenco da Disney. Perdi a conta, mas acho que que ela fez umas trezentas fotos só com os personagens. Os personagens e eu, claro. Eu e Pateta, eu e Pato Donald, eu e Mickey, eu e Minnie, eu e Pluto, eu e Zé Carioca, eu e Branca de Neve...

No trono

– Se for a Alice, leva o telefone no banheiro. Mas só se for a Alice! Se for o Fred, por favor, PELAMORDEDEUS, diz que eu estou no banho, na academia, na acupuntura, no shopping, na dança do ventre, mas em hipótese alguma diga ou insinue o que eu estou realmente fazendo, tá? Entendeu?

Quando eu estou de trelelê com algum menino, principalmente em começo de trelelê, todo o cuidado é pouco com a minha mãe. Ela tem a língua enorme, do tamanho do Pão de Açúcar, e adora puxar conversa com todo mundo que me liga, "só para se inteirar do que está acontecendo". Lembro bem uma vez quando ela atendeu o telefone, eu estava no banheiro botando minha leitura em dia, folheando a *Caras* tranquilamente, e quase me enfiei privada adentro ao ouvi-la dizer para meu namorado de duas semanas (duas semanas!):

– Ih, Dudu, sabe onde a Maria de Lourdes está? No trono! Há um tempão! Já avisei que qualquer dia vai aparecer com hemorroida! Ela senta na privada e esquece da vida, menino! É impressionante! Nunca sei se ela está com dor de barriga, prisão de ventre ou se está lendo. E você, Dudu? Também tem problema de prisão de ventre? Tem um supositório que eu uso aqui em casa que é uma maravilha, tiro e queda!

Essa é minha mãe. Como a gente sofre com mãe, né? Elas são, sem dúvida, tudo de bom na nossa vida, sem elas não estaríamos aqui, e coisa e tal, mas chega uma hora em que o inevitável é constatado: depois que a gente faz 15 anos, ir ao cinema com elas, comprar roupa com elas, estar em lugares públicos com elas, as coisas que a gente fazia até ontem na maior naturalidade viram o maior mico do mundo. E quando mãe pega a gente na escola? Uuui.

Já lhe pedi 375 vezes para ficar na rua de trás, mas ela ignora e fica bem na porta do colégio, pisca-pisca ligado, buzina apertada, Roberto Carlos nas alturas. Eu faço o possível para virar uma formiga e passar despercebida até o carro. Mas pensa que consigo? Ontem mesmo aconteceu uma cena que prefiro esquecer. Quando eu ainda me despedia das minhas amigas na porta da escola, ela anunciou sua mais nova aquisição aos urros, aos berros:

– Maria de Lourdes, u-uh! Achei aquele creme importado para espinha que você vivia me pedindo! Uma fortuna, mas acho que agora essas pipocas horrendas abandonam de vez a sua cara, filhota. Na força, na fé, upalelêê!

Upalelê!???? Fala sério!

– Mãezinha, eu te amo, muito mesmo, mas a pior coisa do mundo é ver você me tratar em público exatamente como fazia 10 anos atrás. Já, já chega a tal da maturidade e aí voltaremos a ser amigas do tipo unha e cutícula, tá? Prometo.

Jantando com a vovó

Hoje de manhã recebi um telefonema-intimação. Era minha avó Dalva, indignada por saber "por terceiros" (leia-se meu pai) que estou namorando. Tentei argumentar, explicar que ainda estamos engrenando, mas ela não deu trégua. Demonstrou profunda decepção por eu ainda não ter levado o Fred para jantar no apartamento dela. Tive de ceder. Só pedi para minha mãe ir junto, para quebrar o gelo e me dar uma força.

Como ele é triatleta e tem uma alimentação acompanhada por nutricionista, toda balanceada, pedi, sem muita esperança, para a vovó fazer uma coisa leve, um peixe grelhado e uma salada verde. Chegamos, fizemos as devidas apresentações, jogamos uma conversinha fora e, em quinze minutos, o jantar estava servido.

– Podem vir, crianças, podem vir! – anunciou ela, batendo palmas.

Quando vi a mesa, quase caí para trás.

– Vó! Eu te falei para fazer uma comida LEVE!

– Ah, mas como eu não sabia se ele gostaria só de peixe e salada, resolvi fazer umas outras coisinhas. Diga para ele que não precisa comer tudo, embora todos os pratos estejam divinos. O ideal seria que ele provasse um cadinho de cada comida.

– Mas, vó, se a gente comer um pouquinho de cada prato vamos sair daqui rolando. Para que tanta coisa? Você estava esperando mais gente?

– Dona Dalva, a senhora exagerou! Isso aqui está parecendo um bufê a quilo. É humanamente impossível comer todos esses pratos – observou minha mãe.

– Ah, Ângela, lá vem você reclamar, como gosta de reclamar! Fiz só uns bifinhos, uma carne moída, uns pastéis, feijão, arroz, purê de batata, batata frita, almôndega, quibe, peixe grelhado, empadão de frango, pirão, estrogonofe e farofa. Não sabia do que o rapaz gostava e preparei algumas opções. É a primeira vez que ele vem aqui em casa, queria tratá-lo bem. Coma, queridinho, coma.

– Fred, você não precisa comer tudo, só o que tiver vontade, tá? – alertei.

Mas se comer não significar "comer tudo", minha avó fica ofendidíssima.

– Que "só o que tiver vontade", o quê? Menino magro, franzino, fraco, abatido... olha aqui, que gostoso, Dedé. Mmmm... Nham, nham... me dá seu prato.

– Fred, vó! – corrigi.

Ninguém merece! Como se não bastasse aquela comilança forçada, minha avó cismou que o Fred se chamava Dedé, que era o apelido de um dos meus primeiros namorados, que ela amava, pois comia pra caramba.

– Peixe, arroz, feijão, purê, bife, estrogonofe... – enumerava ela, enquanto tascava uma colherada cheia de cada coisa no prato do pobre do Fred. Foi tudo tão rápido que não deu para contê-la. Eu olhava para a mamãe, mas ela também não podia fazer nada. Encabulado e sem jeito, Fred aceitava. Logo ele, que odeia dormir com a barriga cheia.

– E vocês ainda devem guardar lugar para a sobremesa, sim? Fiz pé de moleque, paçoca, brigadeiro, doce de leite, bolo de banana e sorvete de nozes. Nozes sem casca, hein? Passei a madrugada inteira descascando mais de trezentas nozes. Mas valeu a pena, está tudo uma delícia. E ainda tem as frutas. Melão, morango, manga, melancia, pera, abacaxi, caqui, cajá e tangerina. Lourdinha gosta de tangerina, não gosta?

– Adoro, vó.

– Dona Dalva, assim a gente engorda.

– Ótimo, é esse o objetivo. Maria de Lourdes está esquelética, precisa engordar, no mínimo, uns seis quilinhos.

– Seis quilos, vó!? Por quê?

– Você está raquítica, parece doente. Dedé, você não acha que ela ficaria melhor com mais uns seis quilinhos?

Dedé, quer dizer, Fred foi salvo pela comida. Estava com a boca cheia e mal conseguiu responder. Não que minha avó estivesse interessada na resposta. Ela continuava a tagarelar do seu modo, sem pausar, sem parar para respirar.

– Coma tudo, menino! Quer que eu faça mais bife? Mais pastel? Vou fazer mais bife – disse, levantando-se e dirigindo-se à cozinha a passos rápidos.

– Não vó, para, por favor! Fica aqui com a gente – pedi, inutilmente, já que ela, sempre ágil e veloz, tinha ido para seu hábitat preferido, a cozinha.

Quando voltou, com mais uma bandeja de sei lá o quê na mão...

– Senta, vó! Sossega um pouquinho!

– Não, não posso sentar! Tenho de preparar uns potinhos de manteiga e de sorvete vazios para vocês levarem o que sobrar.

– Dona Dalva, é muita comida, nós nem temos espaço na geladeira. E lá em casa tem comida, tem empregada...

– É, mas comida de empregada não é comida de vó. Vamos e venhamos, Ângela Cristina, você alimenta mal as crianças.

– O quê!? – indignou-se minha mãe.

– É, sim senhora. São todos magros, anêmicos, os ossos do Mamá estão todos aparecendo, Malena é uma criança esquelética, sem força para nada. No meu tempo...

– Ah, não, não começa com esse papo de "no meu tempo", vó! Já basta a mamãe.

– Saiba, Ângela Cristina, que graças a mim o Armando é um rapaz muito saudável.

– Gordo, a senhora quer dizer, não é?

– Fala sério, mãe, não vai querer brigar com a vovó! Que feio! Ai, ai, ai! – bronqueei.

– Gordo, não. Meu filho é fofo. Esperem aí que vou pegar os potes.

– Não precisa, dona Dalva.

– Ah, que não precisa o quê? Não quero saber, vão levar o que sobrar, e acabou. Guarda na geladeira do vizinho. Leva pelo menos empadão, quibe, bife, o feijão e os pastéis. E você, Dedé? Vai levar o quê? Meu pastel fica uma delícia de um dia para o outro. De doce, vocês podem levar o pé de moleque, o brigadeiro e o bolo de banana, que Maria de Lourdes adora. Tem também geleia de cajá. Você precisa experimentar a geleia de cajá, Maria de Lourdes.

– Mas eu não gosto de cajá!

– Não gosta de cajá? Que não gosta, o quê? Cajá é ótimo. Você não está confundindo cajá com jaca? Jaca é muito doce, já cajá... é uma delícia, tem um azedinho que... nossa! Bom demais. Seu pai adora. Vou pegar para você levar.

– Geleia de *jacajá*? – espantou-se Fred.

– Não! Geleia de jaca! Ou seria de cajá? – confundi-me.

Minha avó voltou com um pote trans-bor-dan-do de geleia. De cajá. Na tampa, um bilhete colado dizia "Para comer com sorvete".

– Mas, vó, assim eu vou engordar e o Fred não vai querer nada comigo.

Ela me ignorou completamente.

– E planta, Ângela? Você não quer levar essa samambaia? Está tão bonita, pode botar na sala, ou na varandinha, vai ficar lindo. A casa de vocês é tão sem graça sem planta. Planta dá vida. Dedé gosta de planta? Tenho uma muda de... come mais, ô, Dedé. Come mais, pode comer sem cerimônia. Quer que eu faça mais farofa?

– Pelo amor de Deus, dona Dalva, não faça isso. O menino é atleta, todo preocupado com alimentação.

– Mas um pé de moleque, um sorvetinho e uma laranja ele vai querer, não é? Não vai me fazer essa desfeita. A laranja está um espetáculo, bem doce. Atleta precisa comer, precisa ser forte.

– Como sim, senhora – disse Fred, suando bicas de tanto botar comida para dentro, todo envergonhado e sem jeito.

– Ah, ótimo. Então vou trazer o restinho da mousse de chocolate que está na geladeira desde domingo. Está uma maravilha, modéstia à parte. Enquanto isso, olha a laranja, Dedé, não vai deixar de comer essa maravilhosa e estupenda laranja!

Ela desapareceu cozinha adentro. Em poucos segundos estava de volta. Falando:

– Essa toalha de mesa vocês também podem levar. É linda, comprei em Portugal. Pode levar, Ângela.

– Obrigada, dona Dalva, não precisa. Nós estamos com um bom estoque de toalhas de mesa lá em casa.

Ela nem sequer ouviu minha mãe.

– Quer suco de caju? Tem suco de caju e de cajá. Não é de saquinho, não! É fruta de verdade. Eu que fiz. Quer um pouquinho, Dedé? E a laranja, já chupou? Que menino demorado! Chupa a laranja, Dedé! Já descasquei e parti em pedaços, só precisa chupar – disse ela, enquanto botava sem muita delicadeza um pote lotado de pedaços de laranja na frente dele.

– Vó! Coitado!

Suando mais ainda, Fred finalmente tomou coragem para dizer um "não, muito obrigado". Mas foi interrompido sem dó nem piedade por minha avó, que se levantou, deu-lhe as costas e foi apanhar o suco de cajá – e o de caju. Com a rapidez e a habilidade de sempre, pôs um sabor em cada copo e os dois copos na frente do Fred.

– Experimente e me diga, com sinceridade, qual você acha melhor – pediu. – Mas também tem água e mate na geladeira. Quer?

Depois que finalmente encerramos o jantar, veio a hora do café.

– Quem quer cafezinho? Tem café com leite, café com creme que eu mesma fiz, cappuccino...

Eu não quis café. O Fred não quis café. Só a minha mãe quis café.

– Por quê? Por que as crianças não querem café? – perguntou ela, triste de dar dó.

– Por quê? Não tem porquê, dona Dalva! Eles simplesmente não querem, não têm costume – defendeu minha mãe.

– Que desgosto! Que desilusão! Que tristeza! – dramatizou vovó.

Finalmente conseguimos levantar da mesa. E começou a briga das sacolas. Minha avó queria que levássemos para casa oito, cheias de potinhos com sobras de comida. Conseguimos negociar e ficamos só com quatro. Duas para mim e minha mãe, duas para o Fred.

No elevador, uma pergunta de Fred/Dedé me deixou com a pulga atrás da orelha.

– Simpática a sua avó. Você vem sempre visitá-la?

– Claro, sou louca por ela.

Dois dias depois, nosso namoro acabou. Minha mãe fez o diagnóstico: término causado por indigestão.

Viajando com o namorado

Logo depois que terminei com o Fred conheci o fofito, apoteótico e saradinho Théo. Nosso trelelê está durando, já estamos juntos há quatro meses, um recorde. Hoje, depois da aula, o lindo me perguntou se eu quero viajar com ele para Búzios. Claro que quero!, que pergunta. Só tem um único probleminhazinho: falar com a minha mãe.

– De jeito nenhum! Imagina, você mal conhece o garoto.

Uuups! Não começamos bem o diálogo.

– Como assim, mãe? Nós já estamos juntos há quatro meses!

– Quando vocês completarem quatro anos talvez eu deixe os dois pombinhos viajarem, mas agora, nem pensar! Como você mesma diria: que viagem, Maria de Lourdes!

– Por quê?

– Porque eu não vou com a cara da mãe dele. Arrogante, metida a besta, nariz em pé... perua.

– Alou! Eu não namoro a mãe dele.

– Ai, está bem, você pediu, Maria de Lourdes. Eu não gosto desse garoto.

– O quê? Não gosta por quê? O que foi que ele te fez?

– O cabelo dele é ensebado, tem aspecto de sujo.

– Que nojo, mãe!

– Também acho. Você podia falar para ele lavar a cabeça com um xampu mais...

– Pausa! Você não pode achar normal não gostar de uma pessoa porque ela tem o cabelo ensebado.

– Claro que existem outros motivos, não é, Maria de Lourdes?

– Ah, é? Ah, é? Quais são?

– Um: não gosto do cheiro do chiclete que ele vive mascando. Dois: o tênis branco dele parece que foi para a guerra, de tão sujo e detonado. Terceiro e principal motivo: ele não é bom em Matemática, ou seja, nem ajudar você nos estudos o cara pode. É praticamente um zero à esquerda esse Théo.

– Eu não acredito no que acabei de ouvir. E o caráter dele? E o carinho dele comigo? Não contam?

– Ah, sim. Ele é um bom menino, parece ser muito direitinho, acho até que gosta de você. Mas vocês dois, juntos, numa viagem? Em plena adolescência? Com os hormônios em ebulição? Não mesmo! Você é muito nova para viajar com o namorado. Que ideia mais descabida!

– Mas os pais dele vão.

– E daí? Eles não estão nem aí para você, Maria de Lourdes. São pais de menino. E menino é diferente de menina, minha filha.

– Por quê? Que coisa mais machista! Que injustiça! Nunca entendi por que o Mamá, que é mais novo que eu, tem muito mais liberdade aqui dentro dessa casa. Por que ele pode chegar às duas da manhã e eu só às quinze para uma?

– Seu irmão é homem, é diferente!

– Homem? Ele é um pirralho! Sabia que a Alice, que é filha única, pode chegar em casa às cinco? Cinco da manhã! Tudo bem que se ela chega às cinco e um dá um problemão, mas quem liga? Isso é que é mãe, o resto é amostra grátis.

– Você é muito mal-agradecida mesmo, não? A Alice é uma largada, vê se isso é hora de uma moça direita chegar em casa!

– Deixa, mãe, por favor! Eu sei me cuidar, se rolar alguma coisa, eu juro, vou me proteger.

Nesse momento, minha mãe arregalou os olhos, estalou as juntas dos dedos, começou a olhar para todas as paredes, para todos os móveis, para todo lugar da sala que não fosse a minha pupila.

– Proteger do frio? Mas em Búzios não faz frio nessa época do ano…

– Mãe, eu estou falando de camisinha.

– Hã? O quê?

– Não disfarça, tá? Uma hora a gente vai ter que falar de sexo. Você precisa acabar com esse bloqueio. Eu não sou mais criança.

– Mas eu não quero que sua primeira vez seja com um ensebado…

– Mãe, a primeira vez é minha e eu decido com quem vai ser. Mas não precisa ficar preocupada por antecipação, acho que não vai rolar nada, eu não me sinto preparada.

Oh-Oh! Meus argumentos maduros e coerentes pareceram balançar as convicções maternas. Pelo que sua fisionomia indicava, eu ganharia aquela parada fácil, fácil.

– E então? Búzios, semana que vem?

– Nem pensar, fora de cogitação. Mas vamos amanhã mesmo ao ginecologista. Se você acha que o namoro com o oleoso pode engrenar, melhor ir ao médico logo.

Que fofa! Nem acredito que isso saiu da boca da minha mãe. Quer me levar ao ginecologista, quer lidar melhor com o assunto sexo. Que evolução! Palmas para ela!

– Porque se você engravidar eu corto os pulsos!

– O quê? – reagi, indignada com o comentário. – Perdeu uma grande chance de ficar calada, mãe! Como pôde dizer uma bobagem dessas?

– Não venha querer me dar lição de filha metida a moderninha. Não estou nada preparada para ser avó tão nova. Não mesmo! Só de pensar entro em pânico. Ser avó e mãe de mãe solteira ao mesmo tempo é o fim! Sem contar os vizinhos, o que eles vão pensar?

– Eu sou virgem, mãe! Virgem! E acabei de dizer que quero me manter virgem por mais um tempo. Que saco! Parece que não ouve o que eu digo!

Fiquei tão chocada que deixei a chatona sozinha. Eu, hein! Acho que ela precisa trocar de analista urgentemente. Essa que ela vai há anos não serve para nada. Humpf!

16 anos

Na estrada

Eu já estava devidamente sentada na minha poltrona com a Alice, a Cacau, a Babi e a Nanda. O Chico, o Renato e o Giba tinham ido comer alguma besteira. Minha mãe entrou e saiu do ônibus umas 23 vezes, no mínimo. E faltavam ainda uns quinze minutos para a viagem.

Fiquei feliz por ter convencido a minha mãe de que não teria problema nenhum em viajar sozinha com meus amigos. E olha que só levei três semanas para domar a fera.

– Mãe, eu tenho 16 anos, qual é o problema?

– É esse o problema. Você **só** tem 16 anos. Uma criança.

– Desde quando quem tem 16 anos é criança?

– Para mim você será sempre uma criança.

– Ah, agora sim. Com esse poço de coerência fica fácil argumentar.

– Não deboche, Maria de Lourdes, odeio deboche. Olha que eu não deixo você ir.

– E ainda me ameaça? QUE MUNDO INJUSTO!

– Menos, Maria de Lourdes, menos. Sem drama.

– Todas as mães deixaram. Só falta você.

– Não sei, filha, não sei... Por que vocês não passam o Carnaval aqui no Rio? É divertido. Eu levo você para ver as escolas na avenida, para ir à praia comigo e com seus irmãos...

– Ir à praia com a família? Tô fora! Não mesmo! Quero viajar com os meus amigos.

– Esses amigos que eu não gosto, né? Parece que você escolhe a dedo: *Esse a minha mãe vai de-tes-tar. Então é dele que vou ser amiga para toda a vida*. Pensa que eu não percebo?

– Mãe, eu sabia que você implicava com a Alice e, por um motivo tão idiota, que eu já esqueci. Mas o que é que tem de errado com a Nanda?

– Não gosto do jeito que ela se veste. Aqueles microshortinhos, aqueles tops, aquela perna de jogador de futebol sempre de fora, aquele cabelo louro farmácia... parece que a menina não tem mãe. Será que ninguém na casa dela sabe que na rua a gente anda com roupa?

– Arrã, sem comentários. E a Cacau?

– Tem o cabelo muito grande, por que é que essa menina não corta o cabelo?

– Porque ela gosta de cabelo grande, bem comprido. E, assim como a Nanda, ignora a opinião alheia. E a Babi?

– Não vou com a cara dessa menina, ô menina enjoada, fresca.

– Caraca, mãe, como você julga as pessoas, cara! Que feio!

– Olha o respeito!

– Olha o respeito você! Minhas amigas são minha família e elas são muito importantes para mim. Se você se dignasse a conhecê-las, veria que são uns amores.

Mamãe ignorou, claro, e emendou:

– E ainda vai com um monte de surfistas. Onde foi que eu errei?

– O que é que têm os surfistas?

– Surfista é tudo desocupado, eles não querem nada com a vida, só querem saber de onda.

– Ai, mãe, você me irrita com esses seus "pré-conceitos"!

Foi difícil, mas depois de 17 versões – com pequenas modificações – da discussão acima, consegui convencê-la. A mãe da Nanda, a tal que ela achava que não tinha mãe por conta do guarda-roupa "ousado e minúsculo", entrou no circuito para dar uma força. Ligou lá para casa, insistiu, disse que a Nanda já viajava sozinha desde os 13 e que não teria problema, o que levou minha mãe a comentar, assim que desligou: "Não falei que essa menina era uma solta? Não falei?"

No ônibus, ela entrou tantas vezes que parecia que eu partiria para o coração da África para passar um ano, numa missão importante e perigosa. Mas que nada! Eu ia apenas aproveitar os quatro dias de folia em Floripa. Minha mãe querida deixou claro para todos os quarenta passageiros que era a primeira vez que eu viajava sozinha.

– Está levando o remédio de nariz, Maria de Lourdes?

– Estou, você acabou de me perguntar isso.

– E repelente?

– Também. Isso você perguntou sete vezes.

– Ferro de passar portátil?

– Aqui.

– Chapinha de cabelo?

– Shhhh! Fala baixo, não quero que todo mundo saiba que eu faço chapinha.

– Esparadrapo?

– Sim.

– Gaze?

– Também.

– Mertiolate?

– Na bolsa.

– Lixa de unha?

– Junto com os esmaltes.

– Tira-manchas?

– Também.

– Porta-incenso?

– Sim.

– Extintor?

– Mãe!

– Eu me preocupo com você, Maria de Lourdes.

– Mas Florianópolis é logo ali.

– Logo ali uma vírgula.

Nesse momento, minha mãe não se conteve e passou dos limites. Para meu desespero, batendo palmas e assobiando, protagonizou uma cena inesquecível.

– Um pouquinho de atenção, senhoras e senhores, só um minutinho.

Como o burburinho em volta não cessava, ela apelou para o volume e gritou o quanto pôde:

– UM MINUTINHO DE SUA ATENÇÃO, POR FAVOR! EU SÓ QUERO PEDIR UMA AJUDA PARA VOCÊS!

– Não, mãe, não faz isso, nããããão! – implorei.

– Não é assalto, senhoras e senhores, não vou pedir dinheiro, não vou pedir esmola, o que eu tenho para pedir é carinho. Peço que vocês tenham carinho por esta menina, a Maria de Lourdes, o tempo que vão passar com ela. Levante-se, filha, para todos conhecerem seu rostinho.

– Que levantar, o quê? PelamordeDeus, mãe!

Ela me ignorou solenemente e, como se ainda não estivesse claro, continuou:

– Eu sou uma mãe preocupada, que zela por seus filhos. É a primeira vez que esta menina frágil, franzina, pequena, que até outro dia fazia xixi e cocô na fralda, está viajando sozinha.

– Chega, mãe, chega!

Ignorando-me mais uma vez, ela seguiu em frente no seu apelo:

– Sei que existem mães aqui que irão me entender. Gostaria de pedir que vocês olhassem por ela e velassem seu sono, se não for pedir demais.

Nesse momento, o motorista entrou, seguido pelo Giba, o Chico e o Renato. Os quatro pararam para ouvir o "discurso".

– Ela está tomando um remédio para gripe, mas sempre esquece. Se alguém puder lembrá-la de que oito da noite é a hora do remédio, serei eternamente grata.

Eu ouvia aquela enxurrada de palavras que saíam da boca da minha mãe estarrecida, irritada, afundada, derrotada na poltrona.

Minhas amigas, mui amigas, não paravam de rir. Os meninos, em pé assistindo a tudo, também divertiam-se e não tiravam os olhos do mico do ano.

– No mais, se você sentir saudade de casa... telefone, Maria de Lourdes. Saudade não é mico, saudade não é pecado, saudade é um sentimento muito nobre. Não é, gente? – perguntou, dirigindo-se à plateia, ou melhor, aos passageiros. – Ligue quantas vezes quiser, menos na hora da novela. E a cobrar se for necessário. Não, a cobrar não precisa, é exagero.

– Minha senhora, nós temos de partir – alertou o motorista.

Virando-se para ele, minha mãe lançou seu olhar de filhote de cachorro e continuou a ladainha:

– Seria demais eu pedir para o senhor ficar com o meu telefone e ligar para mim a cada parada? Assim vou ficar mais calma, essa menina é muito esquecida – disse ela, enquanto dava seu cartão de visitas para o motorista, um senhor que trazia o mau humor no semblante e já estava perdendo a paciência com tanto zelo materno.

– Minha senhora, temos de ir.

– Ai, Deus! Já?

– Já, mãe! Pode ir agora, e obrigada por me matar de vergonha.

– Mal-agradecida, isso se chama amor. Se suas amigas não têm isso em casa vão morrer de inveja, porque você tem carinho e tem mãe, Maria de Lourdes. Mãe ativa, mãe que sabe das coisas.

– Tá bem, tchau.

– Tchau, minha filhinha... – despediu-se, chorosa. – E já sabe... não pegue carona, não cheire cocaína, não fume maconha, não tome nada alcoólico, não fume e não beba nada que te oferecerem.

Também não deixe seu copo dando sopa, pode vir alguém e botar alguma coisa na sua bebida.

– Minha senhora, temos um horário a cumprir.

– Está bem, já vou! Só mais uma coisa: não se esqueça de botar o tênis do chulé na varanda, para não incomodar seus amigos. Lave as mãos antes das refeições, escove os dentes antes de dormir e deixe as calcinhas secarem por completo antes de voltar a usá-las, para não ter problema com infecção ou algo do gênero.

– Fala sério, mãe! – explodi, com os olhos esbugalhados, as veias saltando.

– Minha senhora! Ela entendeu tudo! – exaltou-se o motorista.

– E papa direitinho, hein? Se não for papá de verdade, carninha, arroz, *fezãozinho*, pode ser *sanduísse*, leitinho com *socolate totoso*, barrinha de *celeal*...

– Fala direito, mãe! Por que você está falando assim na frente dos meus amigos e de mais quarenta estranhos? Enlouqueceu?

– Porque *voxê* é minha *quianxa*...

– Mãe!

– Minha senhora! Me desculpe, mas de *quianxa* sua filha não tem nada, ela já está bem *crexidinha* – estourou o debochado do motorista.

– O senhor é um intrometido, sabia?

– Tia, tá beleza, fica *tranqs*! A gente cuida da Maluzinha – disse Chico, com quem minha mãe mais implicava, por conta dos *dreads* que ele tem no cabelo.

– E dá papá para ela na hora *xerta*, amigo é *prexas coijas* – completou a sem graça da Nanda.

– Ah, ótimo. Agora, sim, eu vou para casa tranquila – ironizou ela, antes de me dar o nonagésimo quinto beijo daquela manhã.

Após mais algumas despedidas, ela finalmente partiu. Ufa! Achei que meu martírio tinha acabado, mas era só o começo. Nas 18 horas seguintes, um grupo de garotos metido a engraçadinho passou a viagem inteira fazendo piadinhas do tipo: "Maria de Lourdes, olha o chulé!", "Maria de Lourdes, você tomou o remédio?", "E o tira-manchas? O que seria de você sem o tira-manchas?".

Na troca de motoristas, o que entrou ficou sabendo de mim pelo colega, que disse (bem) alto:

– Ô, Romeu, aquela ali é a Maria de Lourdes. Ela é uma *quianxa* muito pequenininha e frágil, é a primeira vez que viaja sozinha e tem um chulé que Deus me livre!

– E não se esqueça que daqui a pouco está na hora do remédio dela! – ainda gritou um passageiro debochado lá de trás, fazendo o ônibus inteiro cair na gargalhada.

Será que existe alguma forma de uma filha mandar a mãe passar alguns anos na China? Preciso pesquisar esse assunto urgentemente.

A separação

Os primeiros sintomas de que o amor deles ia mal das pernas apareceram quando eu tinha uns 13 anos. Cada um num cômodo da casa, cada qual com uma opinião bem diferente da do outro, só para irritar, um esperando o momento certo para espetar o outro... tudo passou a ser motivo de briga, de discussão, e cada discussão tinha mais decibéis do que a anterior. Resumindo, o que era calmo virou pororoca, assim, num estalar de dedos. E o casamento dos meus pais não teve outro jeito a não ser o divórcio.

Eles nos deram a notícia oficialmente ontem, mas eu e meus irmãos já sabíamos há tempos que mais cedo ou mais tarde esse dia chegaria. Sim, confesso que ouvimos algumas brigas atrás da porta, inclusive a derradeira, com o coração na mão. Decidiram que nós ficamos aqui com a mamãe e ele vai para a casa da vovó até achar um apartamento para alugar. A conversa foi tensa, emocionada, doída.

Mamãe pareceu bem mais abalada do que ele com a separação. Os dois choraram juntos, abraçaram-se e nos abraçaram forte pela última vez como casal. Mostraram para a gente que a amizade entre eles continua intacta, e claro que não faltou aquele papo clichê de que amam a gente, que nós somos as coisas mais importantes do mundo e coisa e tal. Antes de enxugar as lágrimas, papai levantou-se e partiu, numa rapidez desconcertante.

Depois que bateu a porta, ficamos na sala com cara de bobos, sem saber o que dizer, como agir, onde botar as mãos, onde pousar o olhar. Ao mesmo tempo que tínhamos de lidar com a dor da nossa mãe, que era imensa, precisávamos resolver a nossa, que latejava como o quê. Deu um vazio, um negócio esquisito no peito... Mas claro que quero, do fundo do coração, que eles encontrem pessoas bem bacanas e sejam felizes para sempre de novo. Tudo o que consegui dizer para minha mãezona nesse momento dureza foi:

– Vai passar, mãe. Prometo. E pode contar comigo para o que precisar.

– Obrigada, filhota. Vou mesmo precisar de vocês. Muito.

Depois da separação...

Hoje faz um mês que o papai foi embora. Ele já alugou apartamento e assumiu a namorada, Patrícia, que mamãe prometeu odiar e chamar de Madame Silicone para todo o sempre (dramática? Ela? Imagina!). Para coroar, foi promovido a editor-chefe da revista esportiva em que trabalha há mais de sete anos.

Cheguei do colégio e peguei mamãe na cozinha preparando o almoço. Enquanto cozinhava, ela resmungava profissionalmente.

– Ex-marido é tudo igual, basta se separar da gente que um mês depois enriquece. É promovido, passa a comprar roupa de grife, janta nos melhores restaurantes, arruma namoradinha boazuda, uma felicidade de dar inveja. É só pedir divórcio que a vida deles deslancha.

– Ô, mãe, o papai mereceu a promoção, está há um tempão na revista. E quem disse que a Patrícia é boazuda?

– Não defenda seu pai, Maria de Lourdes. Preciso falar mal dele, se não quiser ouvir vá lá para dentro.

Entendi. Quer dizer, acho que entendi. Virei as costas para ir para o quarto, mas ela continuou. Precisava mesmo falar. E eu fiquei mal de não parar para escutar. Senti que ela queria um ouvido de companhia. Resolvi ceder o meu com uma condição: prometi para mim mesma que não prestaria muita atenção nas reclamações e que não atentaria para o fato de que o homem crucificado em questão era meu pai.

– No meu tempo, eu tinha de economizar no telefone, não podia ter babá nem empregada, só usava copo de requeijão e comprava xampu barato. Agora o barril de chope me liga e diz na maior cara de pau que vai passar o fim de semana em Angra. Ah, faça--me o favor! Passeio em Angra, comigo, era dormir em casa de pescador e, no máximo, andar no bote inflável do amigo do primo dele. E não tinha motor, não, era a remo! *Rema, Ângela Cristina! Força, Ângela Cristina! Aproveita para malhar esse braço gordo, Ângela Cristina!* Era ótimo.

– Mãe...

– Que é? No meu tempo, férias era isso, minha filha. É bom você saber, assim conhece logo a alma masculina.

– Sei que é duro, mãezinha, mas o amor de vocês acabou.

– Pois é, também acho. Então por que o Armando quer vir aqui com uma "proposta de emprego"? Proposta de emprego é o c...

– Olha a boca, mãe! Palavrão não entra aqui em casa, lembra?

– Ih, Maria de Lourdes, você está *chata*.

– Ouve o que ele tem a dizer.

– O idiota acha que eu quero esmola dele. Estou bem com meus clientes de assessoria de imprensa, ganho muito bem com eles.

– Ele só quer te ajudar, mãe...

– Não quero ajuda de ninguém! O que eu quero do Armando, agora que ele está com uma situação financeira um pouco melhor, é que ele dê mais presentes para vocês.

– Mãe, o papai sempre nos deu presentes. E que bom que ele está rico, não deveríamos estar felizes por isso?

– Desculpe, filha, mas você é uma equivocada. Seu pai não está rico. Está com um emprego melhor, o que não é sinônimo de riqueza.

– Mas está namorando, e acho que é isso o que você tinha de fazer para parar de resmungar.

– Só quero ver até quando vai durar esse namoro. Ouvi dizer que ela tem 20 anos, três lipos, duas aplicações de botox e trezentos mililitros de silicone em cada peito.

– Mãe, assim não dá para conversar com você – repreendi, para logo depois cair em tentação: – Trezentos? Tem certeza? Caraca, quer dizer que o papai está namorando dois melões?

– Pois é. Enquanto isso, meu peito cai, minha bunda cai, minha pele cai, meu rosto enruga, tudo murcha, tudo balança. A natureza não é nada bacana com a mulher, minha filha, aprenda isso também desde já para não sofrer no futuro.

– Você não está nada caída, mãe, que exagero! Tá lindona!

– Eu estou o oposto de lindona, Maria de Lourdes! O oposto! – esperneou ela.

– Assim fica complicado dialogar com você.

– Eu não quero dialogar, quero monologar! Difícil entender isso?

Xi… ela estava atacadérrima.

– Sabe o que é pior? – continuou. – Comparar os números da Madame Silicone com os meus. Ela, um par de peitos e um namorado novo. Eu, três filhos, um ex-marido, quarenta anos e um carro que só um museu compraria. Meus números mensais? Supermercado duas vezes, três reuniões de pais, 180 deveres de casa, 360 refeições, quarenta quilos de roupa lavada e passada e oito faxinas completas! Isso lá é vida?

Não resisti e soltei uma gargalhada. Minha mãe fica engraçada quando está de mau humor. Mas acho que ela não gostou.

– Está rindo de quê? Tem algum palhaço aqui?

– Mãe, eu só quero que você se acalme – pedi.

– Como é que eu vou me acalmar vendo seu pai de carro blindado? Não tenho paciência de ver seu pai, aquele bolo fofo calvo e zero charme, andando de carro blindado.

– O que é que tem? Bacana, conseguiu com o trabalho dele.

– Bacana nada! É de segunda mão, e pagou em mil prestações, Maria de Lourdes! Só para se exibir para os outros.

– Isso não é a cara do papai.

– Não é? Claro que é, ele só comprou carrão para passear com a tal Pa-trí-cia para cima e para baixo e para se exibir. Comigo, no começo da carreira, a gente andava de fusca com cano de descarga solto. Um horror.

– Que feio, mãe! Achei que conseguiria, mas não sou capaz de aturar você falando mal do papai. Agora eu entendo por que o coitado soltou outro dia que ex-mulher é para sempre.

– O careca disse isso?

– E com razão, pelo que estou vendo. Olha a ex que o coitado arrumou. Uma mulher irritada, mal-humorada, de mal com a vida. Fala sério, mãe! Essa não é você. Chorar e maldizer o leite derramado não adianta nada. Vá à luta! E se a proposta dele for boa pegue, o que tem de mau nisso?

Ela me olhou espantada. Respirou, baixou os olhos e confessou:

– É humilhante aceitar emprego de ex-marido.

– Que besteira, mãe! É humilhante na sua cabeça. Só na sua cabeça. Vem cá, vem. Acho que hoje é você que está precisando de colo.

– Colo de filha? Eu quero... – confessou, frágil e chorosa.

Ela me abraçou forte e desandou a chorar no meu ombro. Pouco depois o papai chegou, mas mamãe preferiu inventar uma desculpa fajuta para não recebê-lo e passou a noite trancada no quarto, mastigando a dor, acostumando-se com ela, enquanto ele botava a conversa em dia comigo e com meus irmãos.

Fui mãe da minha mãe. E gostei. A vida é assim, vem em ondas, como bem disse o sábio Vinicius de Moraes. Um belo dia, você acorda e se vê obrigada a cuidar um pouco de quem sempre cuidou de você. E é nesses momentos que descobrimos que nossos pais não são super-heróis. São gente como a gente, só que mais crescidos, o que não quer dizer mais maduros. Pela primeira vez, não me senti uma pirralha perto da minha mãe. Conversamos, sim, de mulher para mulher, e ela escutou de verdade cada palavra que saiu da minha boca. Acho que consegui ajudá-la. Mesmo. Não sei se muito ou pouco, mas ajudei. E estou feliz da vida por isso.

Minha primeira vez

Arrumei um bico de vendedora num shopping perto de casa para dar uma reforçada na mesada. Começou como trabalho de férias, mas a gerente gostou de mim e eu fui ficando. Estou lá há cinco meses, levo jeito para a coisa e ganho um bom dinheirinho no fim do mês.

Chamei minha mãe para almoçar, tudo por minha conta. Mas eu tinha segundas intenções. À mesa, os pratos já na nossa frente, ela elogiou o programinha mãe e filha.

– Que chique você me convidar para almoçar. Estou tão orgulhosa da minha boneca...

– Que nada, mãe, você merece.

– Bem cheio esse restaurante, hein?

– É sempre assim. Lotado.

– O problema são as mesas, muito perto umas das outras.

– É para criar um clima intimista, mãe...

– Hã...

– Passa o sal? – pedi.

– Claro.

Enquanto salgava a salada, pensei: "é agora!". Enchi os pulmões e dei a notícia:

– Rolou minha primeira vez.

– O quê? – reagiu ela, os olhos arregalados, para logo depois engasgar. Muito.

Findado o ataque de tosse materno, continuei tentando aparentar total tranquilidade. Conversar sobre sexo com a minha mãe sempre foi difícil. Agora, então, que o sexo tinha relação direta comigo... ui!

– Você... você não é mais virgem?

– Não, mãe, é exatamente isso que eu estou querendo te contar. Não é bacana?

– Não, Maria de Lourdes, não é bacana. É tudo, menos bacana. Quem deixou você transar?

– Fala sério, mãe!

– E quem é esse aproveitador de meninas indefesas? Onde ele mora? Qual o nome da família dele? Quantos anos ele tem?

– É só um garoto, mãe. Ele se chama Lucas Teixeira Pinto, tem 18 anos...

– Dezoito? Um homem, santo Cristo! Já dirige, já pode beber, já pode ser preso se cometer algum crime... Um homem formado saindo com a minha menininha...

– Arrã – ignorei. – Bom, ele é vendedor lá na loja e modelo nas horas vagas.

– Modelo, Maria de Lourdes? Modelo? O cara não podia ter uma profissão normal? Não podia ser médico, advogado ou engenheiro? É sempre bom ter um advogado na família, sabia?

– Quem falou em família, mãe? Não viaja! Posso continuar? – estrilei. – O Lucas é gente boa à beça, já foi campeão de natação e está saindo comigo há três semanas.

– Três semanas? Só três semanas e os dois apressados já... Ah, Maria de Lourdes, que oferecida! – ela me criticou, cheia de desgosto no olhar.

– Oferecida? Que coisa mais antiga! Como você é antiga!

Dessa vez, ignorou-me e quis inteirar-se do assunto:

– Vamos ao que interessa. Foi... tudo nos conformes?

– O que você quer dizer com isso? Quer saber se foi bom?

– Não, Maria de Lourdes, de jeito nenhum! Estou querendo saber se vocês usaram cami...

– Vou te contar como foi.

– Não! Não precisa! Não quero saber! – chiou, tapando os ouvidos com as mãos e cerrando os olhos, mantendo-os completamente fechados por alguns segundos.

É, ela não queria mesmo saber, percebi. Mas resolvi continuar:

– Vou contar mesmo assim, preciso. A primeira vez foi mais ou menos, a segunda boa e a terceira uma de-lí-cia. Pronto, falei. Ai, que alívio!

– Três vezes! Três vezes e só agora eu fico sabendo, Maria de Lourdes?

– Mãe, não se exalte, estamos num restaurante...

– Ah! Então me trazer aqui foi uma tática?

– Claro. Num lugar público você jamais teria coragem de fazer escândalo, de gritar para todo mundo ouvir que eu perdi a virgindade. Isso te mataria de vergonha. Se essa conversa tivesse rolado lá em casa você estaria gritando comigo até agora.

– Muito espertinha. Só me diz uma coisa: três vezes em três semanas? Hum... até que não é tão ruim...

– Claro que não, mãe! Como eu não sou oferecida, nas duas primeiras semanas não rolou nada, só beijos e outras coisinhas. As três vezes rolaram ontem, anteontem e antes de anteontem.

– Três dias seguidos?

– É, mãe.

– Meu Deus! E você está apaixonada?

– Não, mãe.

– Então Lucas Teixeira Pinto, 18 anos, não é nem de longe o homem da sua vida...

– Claro que não, mãe!

– Então... por quê? – perguntou, dramática.

– Porque estava na hora! Porque deu muita vontade. Porque o cara é tudo de bom. E, cá entre nós, porque eu era a última virgem das minhas amigas.

– Esse motivo é ridículo. Transar por causa disso é a maior bobagem do mundo.

– Claro que não foi por causa disso. É que deu mesmo muita, muita vontade. Sabe quando o corpo todo fica quente?

– Sei, sei, mas pode pular essa parte.

– O Lucas é muito bonito, por dentro e por fora, rolou o maior clima gostoso, pensei 'por que não?'. E não me arrependo. Foi ótimo, tem sido ótimo.

– Mas esse menino quer ser vendedor para o resto da vida?

– Não, ele quer ser piloto de avião.

– Piloto de avião? Que coisa perigosa! Será que você vai ficar viúva novinha? Ah, não, minha filha merece futuro melhor...

– Mãe! Vira essa boca para lá! Que ideia! E quem disse que o Lucas está no meu futuro? Nem pensei nisso, já te disse! Ele é só um namorado. Que vai ficar na minha memória como o primeiro homem da minha vida. Se vamos dar certo ou não, aí já é outra história.

Minuto de silêncio. Ela balançou a cabeça afirmativamente umas 77 vezes, olhou para a toalha, para os vizinhos de mesa, para os garçons. Um deles, inclusive, parecia gostar bastante da nossa conversa.

– Já foi ao médico?

– Já.

– No doutor Hermógenes?

– Não, na médica da Alice.

– Por que não foi no nosso médico de família, Maria de Lourdes? Ele é tão bom!

– Porque achei que teria vergonha, sei lá. Preferi ir numa especializada em adolescentes. Fiz direitinho, fui uma semana antes de rolar.

– Ótimo, mas foi pedir recomendação justo à Alice? Aposto que o hímen daquela ali já deixou de existir faz tempo!

– Isso não é da sua conta. E que jeito vulgar de falar!

– Vulgar é essa Alice! Eu sempre soube que essa menina é uma solta, fácil, largada no mundo.

– Não vamos entrar no assunto "Alice", por favor! Não tenho paciência. Em vez de me perguntar se estou feliz, se o Lucas é bacana, se me trata com carinho... você só pensa e diz coisas chatas.

Ela ouviu cada palavra que eu disse, respirou, deu umas garfadas e limpou a boca com o guardanapo. Em pouco tempo, reconheceu:

– Você está coberta de razão, mil desculpas. Você... está feliz?

– Muito.

– E... ele é...

– Bacana? Bacanésimo. E, sim, ele é muito carinhoso, não tem com o que se preocupar. O Lucas é todo amorzinho, um dia eu te apresento. É muito bom estar com ele.

Eu e minha mãe nos entreolhamos com carinho e cumplicidade. Ela me pediu novamente desculpas, dessa vez com os olhos; aceitei dando um beijo nas suas mãos. O clima era de paz novamente. Um tanto esquisito, mas de paz.

– Precisamos arrumar uma maneira de contar para o seu pai.

Oh-oh!

– É… assim, ó… ele já sabe. Dormi na casa dele no dia, quando cheguei ele ainda estava acordado, então resolvi contar. O papai não ficou nada ciumento ou zangado. Me deu um abração e conversou horas comigo, fomos dormir com o sol raiando.

– O quê? Poupe-me desses detalhes, Maria de Lourdes! Não acredito que sou a última a saber! Pior do que ser traída pelo marido é ser traída pelos filhos. Preferia ter morrido sem saber que seu pai soube primeiro. Que desgosto! Achei que nós fôssemos melhores amigas! Mas agora acho que o seu pai é seu melhor amigo, né? Você gosta mais do seu pai do que da sua mãe, Maria de Lourdes? Responda, não se faça de sonsa – surtou ela.

Reclamou e resmungou com todas as forças, cada vez mais alto, mais estridente. Acabou fazendo um pequeno escândalo no restaurante. Ficou bem mais indignada com a história do papai do que com a minha primeira vez. Vai entender as mães!

À noite, quando eu já estava deitada, ela entrou no quarto para me dar um beijo. Cobriu-me, sentou-se na minha cama e começou a me fazer cafuné.

– Maria de Lourdes, eu queria te dizer uma coisa… Estou muito orgulhosa de você.

– É, mãe?

– É, filha. Muito – disse, emocionada.

– Mas por quê? Pelo que te contei hoje?

– Por você ser quem você é. Durma com os anjos – encerrou o assunto.

Depois se levantou, saiu e fechou a porta.

Apaguei a luz, virei de lado e dormi. Profundamente feliz.

17 anos

Uma viagem a Punta

Mamãe reuniu os três filhos na sala depois do jantar. Tinha uma importante proposta a fazer. E não ficou de nhenhenhém, não. Disse na lata:

– Que tal uma viagem em família para passarmos o réveillon juntos?

– Oba, mãe! Que barato! – gritou Malena, que ainda está naquela fase em que viajar com os pais é tudo de bom.

– Para onde? – quis saber meu irmão, já com cara de saco cheio.

– Para Punta del Este, um balneário chiquérrimo no Uruguai. Que tal?

Olha só... quem diria? A ideia era ótima, todo mundo fala superbem de Punta, lugar cheio de gente bonita e points badalados. Dei a maior força:

– Que legal, mãe! E qual vai ser o esquema?

– O dia 31 cai numa quinta, então a gente pode sair daqui na segunda.

– Na segunda? – estranhei.

– É. E voltamos na terça ou quarta seguinte.

– Mais de uma semana viajando? Não é muita coisa? E o seu trabalho? Não vai te prejudicar com os seus clientes?

– Quatro dias seria o ideal, filhota, mas de carro não dá.

– Hããããããã?

– De carro!? – dissemos em coro eu e meus irmãos.

– Até o Uruguai? – frisei.

– Isso!

– De carro, até o Uruguai? – perguntei mais uma vez, só para checar.

– De carro até o Uruguai, sim, foi o que eu acabei de dizer, Maria de Lourdes. Ensurdeceu?

– Por quê? – Eu continuava indignada.

– Por quê? Porque é uma viagem linda. A gente passa por Camboriú, conhece a serra gaúcha, para em lugar bonito para tirar foto, conhece as estradas brasileiras...

– Conhecer as estradas brasileiras? Para quê? – perguntei, ainda profundamente indignada.

– Cultura geral, Maria de Lourdes! Sem contar que no caminho tem a cidade de Paranaguá! É só parar em Curitiba e pegar um trem que em duas horinhas estamos lá comendo os melhores camarões do mundo.

– Pegar trem para comer camarão? Eu sou alérgica a camarão, mãe! Além do mais, tem camarão aqui no Rio, eu posso comprar para você – contestei.

– Alergia é frescura. E lá tem os melhores camarões do Brasil, duvido que você passe mal com eles.

– Que programa de índio ir para Punta de carro! – pus em palavras meus pensamentos e os do meu irmão.

– Você não achou que iríamos de avião…

– Claro que achei, mãe! Cariocas normais vão de carro para Petrópolis, para Búzios, no máximo para São Paulo. Para Punta del Este e adjacências as pessoas vão de avião.

– Mas são só três dias dentro do carro!

– Três na ida e três na volta? – quis confirmar.

– E três em Punta! – Ela me apavorou.

– Fala sério, mãe! Estou fo-ré-si-ma! Não há a menor possibilidade de eu ir nessa roubada.

– Mas você é uma ingrata, mesmo, viu, Maria de Lourdes? Eu só quis fazer essa viagem por sua causa! Ano que vem você presta vestibular, depois entra na faculdade e nunca mais vai querer viajar com a gente. Essa era a última oportunidade de viajarmos todos juntos. Agora está aí, botando mil obstáculos.

Que drama! Logo ela, que é a pior motorista do mundo, tem o pé mais nervoso que já vi, quer ir dirigindo para outro país. Outro país! Louca. Não vou nem amarrada.

– Mãezinha, essa viagem nasceu desastrada – argumentei.

– Por quê? Você foi para Florianópolis no ano passado de ônibus! Ô-ni-bus! Pegar estrada na companhia da sua mãe e dos seus irmãos você não quer, nem cogita. Com os seus amigos até de carroça você viajaria.

– Mulher no volante perigo constante – filosofou meu irmão.

– Dââââ! – fizeram em coro Malena e minha mãe.

– Não é nada disso, bobo. Mãezinha, essa viagem... como é que vou descrevê-la... É a pior proposta que eu já ouvi na vida.

– Por quê? Prepararei com a sua avó umas quentinhas deliciosas para a gente comer na estrada, vou levar papel higiênico para as horas de aperto e também um ventiladorzinho portátil, para a gente não derreter, já que o ar do carro ainda está quebrado. Planejei tudo, não tem como não ser ótima a viagem.

Quentinhas? Aperto na estrada? Ventilador? Ela só podia estar brincando.

Mas não. Levava a sério cada palavra que dizia. Tadinha, no final das contas nem Malena, a mais empolgada, queria ir.

– Quando eu for rica levo todo mundo para lá de avião – tentei ser simpática.

– Ô, filha... não quer ir mesmo? A gente vai cantando, conversando, contando anedotas, nem vai ver o tempo passar...

Cantando e conversando? Até o Uruguai? Que pesadelo! Insisti:

– Não, mãe. Quando eu for rica juro que levo todo mundo de avião. Enquanto isso não acontece a gente podia combinar de fazer uma viagem menos cansativa no fim do ano, para Búzios ou para a serra. Que tal?

– Jura? Então nós vamos viajar e passar juntos o réveillon? – ela disse, toda alegrinha.

Não! Mil vezes não! Não era essa a intenção! Eu quero passar o réveillon com os meus amigos!

– Mãezinha, lindinha, que tal viajarmos antes do réveillon?

Ela reagiu com um ar de profunda decepção e não demorou para as lágrimas brotarem nos olhos, prontas para protagonizar um drama daqueles. Não tive alternativa:

– Tá, bom, mãe! Tá bom! Vamos viajar todos juntos para o réveillon. Mas sem esse negócio de cantoria na estrada, por favor!

Presente de mãe

Fiquei em casa estudando enquanto minha mãe foi passear no shopping, que está em liquidação. Ela está cheia de paparico para cima de mim, acho que se sente orgulhosa por eu ter tomado jeito e começado a levar os estudos a sério. Claro, não quero levar bomba no vestibular.

De repente, o telefone toca. É ela.

– Maria de Lourdes, você não vai acreditar! Tem uma blusinha aqui na MadCrazyLips que é um arraso, um desbunde!

– Desbunde? O que é que é isso? Tem a ver com bunda?

– Depois te explico, filha, não posso demorar, estou falando do telefone da loja. E então, posso comprar? Se você disser que gosta mamãe leva duas, você merece.

– Como é que eu vou gostar sem ver? Melhor não comprar, mãe!

– Mas é uma graça a blusinha. Você vai amar, é a sua cara. Tem uns canutilhos bordados...

– Você não pode ter achado uma blusa com canutilho a minha cara. Eu odeio canutilho e qualquer coisa que brilhe bordada numa blusa!

– Ah, é? Jurei que você gostasse. Não! É a Malena que gosta.

– A Malena odeia. Você tem certeza de que conhece seus filhos?

Ela me ignorou.

– A manguinha dela é toda moderna, bem bufante...

– Bem bufante? Quem é que usa manga bem bufante hoje em dia?

– A vendedora está aqui me antecipando que as mangas bem bufantes vão voltar com força total nesse inverno, foram a sensação nos últimos desfiles de Paris e são... como é mesmo?, ah, sim!, cheias de conceito, sabe lá o que é isso? Chiquíssimo!

– Que chiquíssimo, o quê? Ela é vendedora, mãe, e vendedoras ganham por comissão. O trabalho dela é empurrar coisas encalhadas. Não deixa essa mulher te enrolar!

– Imagina, Maria de Lourdes! A Suzana? Me enrolar? Ela é tão boazinha. Acredita que ela percebeu que meus olhos são verdes perto da pupila? Disse que com a roupa certa o verde deles pode ficar da cor da Amazônia.

– Está te enrolando. Seus olhos são castanhos, quase pretos!

Minha mãe sempre quis ter olhos claros. Seu sonho era ter puxado os olhos do meu avô, azuis acinzentados. Um belo dia, quando ela tinha uns trinta e poucos anos, descobriu, no breu de sua íris, o fim de sua tristeza: um minúsculo traço verde perto da pupila. Desde então, cisma que tem olhos verdes e mostra para todo mundo o tal do traço, pena que ninguém consegue vê-lo.

Só essa vendedora.

– Que nada, menina. Ela é atenciosa, isso sim. Acabou de me mostrar sem compromisso uma blusinha verde da nova coleção, que é da cor dos meus olhos e adivinha como se chama? Amazônia. Não é lindo? Pena que não está na promoção... Mas dá para fazer em duas vezes no cartão.

– Não discuta comigo, eu sou vendedora, sei como isso funciona. Ela já disse "nossa, como você é bonita!"?

– Primeira coisa que ela disse quando eu entrei na loja.

– Elogiou seu cabelo e perguntou o xampu que você usa?

– Segunda coisa, quando eu já estava com uns cabides na mão.

– Perguntou seu nome mas só te chama de Angel e pediu para você chamá-la de Su?

– Menina, você é boa nisso! A Su não consegue mesmo me chamar de Ângela, só de Angel. Acha que tenho cara de anjo.

– Você experimentou alguma calça que ficou apertada e ela disse que não é você que está gorda, é a modelagem da loja que é pequena?

– Aconteceu exatamente isso, Maria de Lourdes. Eu experimentei uma calça verde-musgo e...

– Sai voando daí! Ela faz o tipo melhor amiga de infância, essas são as piores.

– Mas é tão bonita a blusa de manga bem bufante! A manga é bufante do ombro ao cotovelo, justa até o pulso e de boca larga do pulso para baixo. É uma peça repleta de detalhes inovadores, como me disse a Suzana. Uma modernidade só.

– Uma breguice só.

– Que breguice? Essa loja tem em Ipanema.

– E daí?

– E daí que Ipanema é chique.

– Manga bem bufante e com todos esse detalhes que você descreveu é horrível em Ipanema, Paris ou Vilar dos Teles.

– Mas disfarçaria esse seu braço gordo de que você tanto reclama.

– Ai, que grossa! Puxei de você essa tora e esse sovaco rechonchudo, tá? Muito obrigada, mas não quero blusa nenhuma.

– Tem laranja, amarelo e verde cítricos.

– Cítricos? Eu odeeeio cores cítricas, mãe! Você não pode querer me dar essa blusa horrorosa de presente!

– Ih, boba, ela tem uns botões coloridos nas laterais e umas franjas metálicas que são um luxo, dão um tchan que só vendo.

– Franjas metálicas? Fala sério, mãe! Obrigada, mas não precisa. Consigo imaginar qualquer pessoa nessa blusa, menos eu. Impressionante: vivemos embaixo do mesmo teto há 17 anos e você não me conhece nada.

– É que eu posso fazer em três vezes no cartão...

– Quer me dar presente compra um CD ou um livro, então.

– Nem numa festa de arromba você usaria essa blusa?

– Não. Mas o que vem a ser uma festa de arromba?

– Deixe de ser implicante, Maria de Lourdes. Nem na sua formatura você usaria?

– Menor chance! A descrição dessa blusa talvez seja a coisa mais pavorosa que já ouvi na vida.

– Mas eu vou levá-la. Se você não gostar mesmo eu faço uns ajustes e fico com ela para mim.

– Eu não vou gostar mesmo! Compra logo uma do seu tamanho, então.

– Tem certeza?

– Absoluta.

As intenções são sempre as melhores, mas minha mãe não consegue dar uma dentro em matéria de presente para os filhos. E se deixa enrolar por qualquer vendedora, basta dizer que ela está linda. Ou que seus olhos são verdes.

Arrumando o quarto

– Está tudo arrumado, tá? Beijo, te vejo mais tarde.

– Não, não, não, Maria de Lourdes! Nada disso, pode dar meia-volta. Você só sai depois que eu conferir como ficou a arrumação do seu quarto.

– Ah, não! Fala sério, mãe! Assim vou perder o cinema! Já, já, a mãe da Alice vai estar aqui embaixo buzinando.

É essa chatice toda vez que saio. Antes de pôr o pé na rua, a ditadora decretou, eu tenho de deixar meu quarto um brinco. Passei a vida inteira ouvindo minha mãe me esculhambar por causa da bagunça do meu quarto-doce-quarto, mas jurava que a ladainha fosse melhorar quando eu estivesse mais crescidinha. Que nada! Como meus irmãos são insuportavelmente organizados e certinhos, ela pega no meu pé cada vez mais.

Fomos para o meu quarto. Ela queria verificar seu estado.

– Da última vez que você disse que arrumou encontrei um par de tênis, com meia dentro!, embaixo do seu travesseiro! Tra-ves-sei-ro!

– Porque você me obriga a arrumar e eu não gosto de fazer nada por obrigação.

– Que desculpa mais sem conteúdo, Maria de Lourdes! Você não pode ser uma menina relaxada, filha, precisa aprender a ter cuidado com as suas coisas.

– Eu me entendo muito bem na minha bagunça.

– Tênis embaixo do travesseiro não é bagunça. É um nojo, é porcaria, é róinc, róinc.

Não precisava desse róinc, róinc. Não mesmo, mas tudo bem.

– Concordo com você, mãe, mas meu quarto não requer tanta arrumação, eu encontro tudo na minha desordem.

– Impossível. Você vive aos berros procurando caderno, caneta, livro, celular, bicicleta... Sua mãe encontra até uma agulha no escuro no quarto dela.

– E você tem orgulho disso?

– Tenho, sim. Muito.

– Pois sabe do que eu me orgulho? Do meu quarto. Ele é a minha casa, o meu mundo, o meu país. Você não tinha nada de se meter com ele. Cadê a minha individualidade? Cadê o respeito à privacidade?

– Ih... começou o discurso adolescente politicamente correto – reclamou ela, antes de ver o que eu não queria que ela visse. – O que é isso, Maria de Lourdes? Eu não acredito! Você botou seus sapatos imundos dentro do armário dos lençóis limpinhos e cheirosinhos?

– Tá vendo o que você faz? Por causa da pressa para organizar tudo acabei guardando no lugar errado.

– E o que esses CDs estão fazendo na gaveta das meias? E o que faz um CD do Santana dentro da caixa do Chico Buarque? Onde está o CD do Chico?

– Não sei, mãe, não sei! É que na correria eu acabo fazendo bobagem. O ideal seria que eu só arrumasse o meu quarto quando me desse vontade, porque aí eu não faria malfeito. Faria bem devagar, botando tudo no seu devido lugar, guardando os CDs nas caixas certas, jogando fora papéis que não servem para nada, tirando de baixo da cama os meus cadernos e livros da escola...

– Arrumando a gaveta-depósito...

– Não, a gaveta-depósito, não!

– Um dia você precisa arrumar aquilo, Maria de Lourdes. Tudo o que você ganha, compra, troca, conserta ou não tem utilidade vai parar lá. Bicho de pelúcia, agendas dos anos anteriores, chaveiros, esmaltes que já secaram, ímãs de geladeira sem a parte magnética, canetas que não funcionam, relógio, apito de guarda-noturno...

– Eu precisaria de dias para dar um jeito na gaveta-depósito, é impossível arrumá-la rapidinho, antes de sair.

– Rapidinho? Escute aqui, Maria de Lourdes, a determinação é: ninguém sai de casa enquanto não arrumar o quarto, não tem esse "rapidinho". A regra é clara como água e nasceu há exatamente 10 anos. É bastante tempo, não era para você já ter se acostumado com ela?

– Não. Nunca vou me acostumar com essa regra idiota, injusta, desumana, tirana, exagerada, sem propósito.

– Ah, que pena. Regras são regras e, como já te disse várias vezes…

– Enquanto você pagar as minhas contas e eu morar embaixo deste teto é você que manda – rosnei, irritada até a alma.

– Isso mesmo! Então, Maria de Lourdes, da próxima vez que você for sair, comece a arrumar seu quarto três horas antes, sim, filhinha? Vai ser melhor para todo mundo, até para mim, que não aguento mais ter essa conversa com você.

– Fechado, da próxima vez eu arrumo. Beleza?

– Não, não tá beleza. Pensando bem, tenho uma proposta mais interessante. Que tal cancelar o cinema e dar um jeito no seu armário hoje, Maria de Lourdes? Ele está parecendo fim de liquidação. Tem roupa do avesso, roupa amassada, roupa que precisa ser lavada, roupa furada, roupa rasgada, todas amontoadas até o teto! Como é que você consegue viver assim, minha filha? Ligue para a Alice e diga que você não vai.

Ela pirou! Apelei para o diminutivo, uma tática que costuma colar com a minha mãe.

– Mãezinha amadinha, bonitinha, gostosinha, maravilhosinha, meu amorzinho… por favor, pelo amor que você tem por mim e pelos seus filhinhos, deixa eu arrumar meu quartinho direitinho da próxima vez? Por favor!

Ufa! Pelo olhar condescendente, ela comprou meu draminha!

– Jura que da próxima vez você arruma com antecedência? Não quero mais ficar nesse nhenhenhém com você.

– Tá combinadésimo, mãe! Beijo! – Saí correndo na direção da porta.

– Maria de Lourdes! Não acredito que você deixou uma toalha molhada em cima do lençol e, para completar, botou a colcha por cima! O que é que é isso? Onde é que nós vamos parar?

Xi! Para minha sorte, o elevador chegou rápido e eu não fiquei para ouvir o resto das reclamações. Imagina o escândalo que ela fez quando encontrou minhas calcinhas secando do lado de fora da janela.

18 anos

Uma conversa sobre homens

Ando meio jururu. Hoje mais do que ontem, talvez seja a TPM. Fazer o quê? O fato é que apesar de ser uma menina feliz, amada, bem resolvida, que já sabe que vai prestar vestibular para jornalismo (90% dos meus amigos não têm ideia do que querem fazer quando crescer) e com uma família linda, há tempos não arrumo um namorado sério, um namorado de verdade, um cobertor de orelha, alguém para chamar de meu. Não sei o que acontece...

Sozinha em casa com minha mãe, resolvi ter com ela uma conversa de mulher para mulher, para tentar entender de uma vez por todas esses seres controversos e incoerentes, os homens.

Talvez ela não seja a pessoa mais indicada para dissertar sobre o tema, já que a fase de empolgação pós-separação passou e, apesar de bonita por dentro e por fora, bem-sucedida, bem resolvida, independente e alto-astral, ela também não arruma namorado.

Agora, minha mãe só quer saber de maldizer a alma masculina. Mas como mãe é mãe e tem sempre uma coisa boa e incentivadora a dizer, resolvi puxar papo.

– Homem não presta, minha filha. É tudo igual, tudo farinha do mesmo saco.

Ôh-ôh! Não começamos bem nossa conversa. Tentei de novo:

– Mas eu vivo ouvindo por aí que "ruim com eles, pior sem eles"...

– Nada é ruim na sua idade, Maria de Lourdes. Ruim é a minha situação. Você tem a vida toda para arrumar um namoradinho, eu não. O relógio anda mais rápido depois dos 40...

– Ô, mãe... não fala assim.

– Mas é verdade. E não é crime eu querer um namorado que me dê carinho, compreensão e conserte a pia do banheiro quando ela entupir, é?

– Claro que não...

– Agora que estou à procura de um namorado não acho nenhum. Quando eu não queria saber de compromisso, logo depois de me separar do seu pai, chovia homem atrás de um relacionamento sério.

– Caraca! Acredita que rola a mesma coisa comigo?

– Claro. E sabe qual é a moral dessa história? Homens, de qualquer idade, nossos ou não, adoram nos contrariar. Eles são uma caixinha de surpresas, não perca tempo tentando entendê-los. É impossível.

– Fala sério, mãe!

– Estou falando, seriíssimo.

– Quer dizer que a gente nunca vai entender por que eles pedem nosso telefone se nem pensam em ligar no dia seguinte?

– O que eu acabei de dizer, Maria de Lourdes? Não tente entendê-los. Essa pergunta angustia as mulheres há séculos e ninguém nunca encontrou uma resposta decente para ela.

– Por que eles espalham para os amigos quando ficam com a gente? E por que dão sempre detalhes que não existiram?

– Sei lá!

– Por que eles não gostam de D.R.?

– D.R.?

– Discutir a relação, mãe!

– Seu pai me disse uma vez que homem que é homem não dança, não diz "que fofo!" e não discute a relação.

– Que bobão.

– Também acho. Coisas desse tipo que nos levaram à separação.

Estava gostoso aquele teretetê familiar com pinta de desabafo mútuo.

– É sempre assim, mãe? A vida toda? Não muda nunca?

Mamãe me explicou que, sim, é assim a vida toda. O importante é não deixarmos nossa autoestima ir para o pé por conta da indecisão e da falta de comprometimento do sexo masculino.

– Temos de gostar da nossa própria companhia, filha. Aprender a gostar de nós mesmas é um grande passo para deixar de querer entender a cabeça dos homens. Eles são feitos de outro material, são de outra espécie. Nossa felicidade não pode depender deles ou de um relacionamento sério. Existem milhões de coisas que me fazem feliz e, enquanto meus namoros não vingarem, eu vou me divertindo com elas.

Até que minha mãe estava boa de conselhos, mas, como senti nela uma pontinha de desapontamento por estar solteirinha da Silva, tentei dar uma força e assumi minha porção conselheira. Disse que ela não anda tendo sorte com os homens porque eles só querem saber de namoricos esporádicos.

– Que venham os namoricos! Namoricos não fazem mal a ninguém, pelo contrário.

Uau! Que surpresa! Nunca achei que ouviria uma coisa dessas da minha mãe. Que bacana ela admitir que toparia ficar sem compromisso. O que não faz uma tarde ensolarada regada a assuntos tipicamente femininos? Argumentei:

– Mas você não tem cara de mulher que topa relações vazias, tem cara de mulher para casar. Os homens te respeitam, querem pegar na mão, vir aqui em casa, conhecer a sua mãe e seus filhos, te apresentar para a mãe e para os filhos deles, morar junto, ter filhos, essas coisas.

– E quem disse que eu quero casar de novo? Cruz-credo! Também não quero ter mais filhos, três está de bom tamanho.

Fiquei ali um tempão com ela na sala, falando do sexo oposto, da vida, do futuro, do presente, do passado, de quando eu era uma menininha. E eu não achei nada chato ouvir as histórias que ela já me contou mil vezes. Quando olhei no relógio notei que estávamos naquela conversa havia quase três horas.

Passar a tarde de papo para o ar com a mãe. Quem diria? Foi tudo de bom.

Mamãe, me empresta o carro?

Assim que fiz 18 anos passei os dias a atormentar minha mãe. Era chegada a hora de aprender a dirigir. Perturbei tanto que ela logo me matriculou na autoescola. No primeiro dia de aula, pontualmente na hora marcada, Jurandir, meu instrutor, me esperava na portaria. Jurandir era uma figura. Logo na primeira aula fiz uma pequena confusão com os pedais e tentei me justificar: "Desculpe, foi um lapso." Ao que ele retrucou: "Lápis, não, Malu! Isso que tu fez foi uma caneta!" Engraçadérrimo!

Assim, entre "lápis" e "canetas", em poucos meses aprendi a guiar um carro. No dia em que tirei carteira, cheguei em casa louca para experimentar com o carrinho da minha mãe a deliciosa sensação de dirigir pela Cidade Maravilhosa.

– Mãe, me empresta o carro?

– Não.

Não?

– Como não? Você prometeu que me emprestaria o carro assim que eu tirasse carteira.

– Prometi, foi? Mudei de ideia.

– Mudou de ideia? Não pode! Ninguém muda de ideia depois que promete uma coisa.

– Mães mudam.

– Por quê?

– Porque mães podem tudo, ué.

– Que injustiça, cara!

– Não acho que você esteja segura para dirigir, Maria de Lourdes, só isso. Não esqueça que acompanhei uma aula e vi tudo.

– Que foi? Acha que eu não dirijo bem só porque o carro morreu sete vezes numa ladeira?

– O nome daquilo é rampa, ladeira é outra coisa, queridinha. E era uma rampa pequena, de garagem. Além disso você parou três vezes na faixa de pedestres.

– Porque me distraí.

– Pois é. Motoristas não se distraem. Uma pequena distração pode causar um estrago horroroso.

– Mas aquela aula foi há séculos, eu hoje dirijo bem melhor, é só me dar a chave do carro que te mostro.

– Não, não e não. Você ainda não está apta para dirigir, Maria de Lourdes.

– Essa é boa! O governo me considera apta para dirigir, você não. É piada, não é?

– Não, não é piada. Por isso, decidi que nos primeiros meses você só dirige acompanhada por mim ou por seu pai e sempre aqui pela vizinhança.

– O quê? Você não pode fazer isso!

– Claro que posso. Você só vai dirigir sozinha quando eu sentir que você está segura no volante. Mas fique tranquila, eu sou ótima companhia.

– Eu não quero a sua companhia! Que saco!

– Não imagino o porquê, mas prefiro registrar essa frase, dita de forma doce, meiga e suave, sem o "não". Então fica assim a minha reação a ela: você quer a minha companhia? Que bom, querida! Agora estou ocupada, mas quando eu terminar este release posso pensar em dar uma volta de carro com você pelo quarteirão.

– Eu não quero ir com ninguém, quero saber qual é a sensação de dirigir sozinha! E pela cidade, não pelo quarteirão e pela vizinhança, né, mãe?

– Que cidade, Maria de Lourdes, que cidade? Sobre dirigir pela cidade nós conversaremos daqui a um, dois anos.

– Enlouqueceu? E se eu passar para uma faculdade longe de casa?

– Eu me organizo para ir com você, fazer o quê? Você vai para a aula e eu espero a hora da sua saída para voltarmos juntas para casa.

– Mãe, isso não está certo. Assim você está anulando a minha autoconfiança. Eu preciso dirigir sozinha, pegar estrada, estacionar.

– Estacionar. Ainda bem que você tocou nessa questão. Para que tanta ânsia para dirigir quando temos a melhor vaga do Grajaú, que está ocupada por mim há duas semanas e quatro dias? Nunca fiquei tanto tempo estacionada numa vaga tão boa! Veja se dirigir é mais importante do que ter o carro parado em frente ao prédio?

– Mãe, é uma espécie de maluquice você ir de táxi para o supermercado porque não quer tirar o carro da vaga. E é uma maluquice completa você não querer que eu dirija só para não tirar o carro dessa bendita vaga!

– Bendita mesmo, filha. Daqui de cima eu vejo como está o carro, os porteiros vigiam, eu vigio... Sem contar que para dar uma limpada nele é só descer e atravessar a rua. Aí aproveito para botar o papo em dia com o flanelinha, vejo se algum passarinho mal-educado fez meu para-brisa de banheiro...

– Você prefere vê-lo a dirigi-lo. Percebe a maluquice de que te falei?

– Não. Mas vamos deixar de conversa furada que daqui a pouco começa a minha novela. Depois a gente papeia.

– Eu não estou papeando! Nem estou de conversa furada! Estou discutindo, irritada, o meu futuro como motorista.

– Ótimo. A gente volta a discutir irritadamente depois da novela, então.

– Vou trabalhar dobrado na loja e economizar o quanto puder para comprar meu carrinho.

– Que ótimo, eu incentivo.

– Vou entrar num consórcio.

– Ótimo, mil vezes ótimo, Maria de Lourdes. Acontece, filha, que você não percebeu... seu carro, meu carro... é tudo a mesma coisa. Eu não vou deixar você dirigir sozinha enquanto não sentir que você está preparada. E está decidido.

– Pirou! Completamente. Você não pode controlar a minha vida desse jeito. Eu já tenho 18 anos, 18! Sou uma pessoa adulta, como você.

– Está bem, pessoa adulta. Pode ser do contra, não ligo. Eu só acho que o que estou fazendo é o certo e é assim que vai ser. Vamos assistir à novela juntas?

Essa legislação imaginária que delega plenos poderes às mães me deixa enlouquecida. Baseadas nela, elas se sentem no direito de controlar como bem entendem a vida dos filhos, criando regras, dando sermões, mandando, desmandando, proibindo, liberando, implicando sem motivo aparente...

São as leis maternas mostrando seu vigor. Filho criança, filho adolescente, filho velho... todos, mais cedo ou mais tarde, têm de aprender a conviver com elas. Por quê? Porque é assim e ponto, como explicaria a minha mãe com a fisionomia mais plácida do mundo, dando o assunto por encerrado.

19 anos

Perguntas na madrugada

– Cinco e meia da manhã? Isso são horas de chegar em casa?

– Ai, mãe, que susto! É que a festa estava tão boa que nem vi o tempo passar. Vou para o quarto, tá?

– Não vai mesmo! Só se me explicar que saia é essa. Você quer que as pessoas pensem que você não tem mãe?

– Por quê?

– Porque sua bunda está toda de fora!

– Ih, mãe, larga do meu pé!

– O que é isso no seu pescoço, Maria de Lourdes? Chegue mais perto, Maria de Lourdes. Mais perto! Mais um pouco. Mais! – disse ela, pegando meu pescoço à força, para checar bem de perto. – Não pode ser! Um chupão, Maria de Lourdes? Que vergonha!

– Vergonha de quê? Daqui a uns dias sai – reagi, sincera e educadamente.

– Você está tão fácil, Maria de Lourdes... tão fácil! Olha o exemplo que você está dando para a sua irmã! Homens gostam de mulheres difíceis, quantas vezes eu preciso te dizer isso?

– Eu não sou fácil! Sou beijoqueira, é diferente.

– Mas não foi essa a educação que te dei… Não te criei para você ficar por aí beijando e passando de mão em mão, como uma Maria Corrimão.

– Que baixaria! Quem disse que eu passo de mão em mão? Quase não fico com ninguém! Comparada às minhas amigas, eu sou praticamente uma santa. Elas até me sacaneiam, dizem que sou careta, que só fico com um menino quando acho que posso me apaixonar por ele.

– Elas te "sacaneiam"? Que palavreado chulo, Maria de Lourdes! Meu Deus do céu, para onde será que foi tudo o que eu te ensinei?

– Fala sério, mãe! Sacanear não é palavrão. Sacanagem não é palavrão!

– No meu tempo era. Por que você não substitui sacanagem por bandalheira ou… libertinagem?

– Porque eu não tenho 80 anos.

– Ai, Deus, que tristeza.

– Você acha uma tristeza eu não ter 80 anos? Jura?

– A cor do seu cabelo é que está uma tristeza. Está laranja. Eu não acredito que você… Você pintou o cabelo, Maria de Lourdes? Como teve coragem? – disse, lábios tremelicando em ritmo alucinante.

– Ih, mãe, que drama! Pintei antes de sair, lá na casa da Alice, o que é que tem? E não está laranja, está castanho acobreado.

– Agora seu cabelo não é mais virgem, está estragado para o resto da vida.

– Oooh! E agora? O que faremos? Pobre Maria de Lourdes! – debochei.

– Olha a gozação gratuita e sem graça! Não gosto disso. Que perfume você está usando? É o meu preferido? Francês? Que está quase acabando e que eu não tenho dinheiro para comprar outro?

– Esse mesmo. Peguei emprestado no seu banheiro.

– Quem deixou?

– Relaxa, botei bem pouquinho. Agora preciso dormir, tá? Amanhã a gente continua.

– Não, senhora. Quem é o rapaz do carro?

– Você estava me vigiando?

– Não, apenas esperando. Mas não pude deixar de notar que você ficou quarenta minutos tentando encostar a ponta da sua língua na garganta dele. Cena linda.

– Você estava me vigiando! Que absurdo!

– Qual o nome dele? Quantos anos tem? Faz o quê? Dirige há quanto tempo? É respeitador ou assanhado? Cavalheiro ou cafajeste? Tem mão boba que desliza sem querer e vai parar na sua perna? Espero que não!

– Chega, mãe! Você está me sufocando!

– Eu sou sua mãe! E me preocupo com você, sua mal-agradecida.

– Não precisa se preocupar, já não pedi?

– Ah, sim, claro. Só porque você pediu, eu nunca mais vou me preocupar, fique tranquila.

– Então tá. Beijo.

– Eu estava brincando, Maria de Lourdes! Vamos conversar, eu te esperei tanto que perdi o sono. Você não acha que tem saído muito mais do que deveria, filha? Toda noite tem uma coisa nova para fazer, uma festa nova para ir... Que festas são essas? Quem te chama para essas festas? Por que você paga para ir às festas? Quem dá essas festas? Quem vai a essas festas? Quem são as pessoas que vão às festas com você? São bacanas? Ninguém é viciado em tóxico, não, né?

– Boa noite, mãe.

– Boa noite? Está bem. Descanse bastante, amanhã a gente continua.

Meu namorado pode dormir aqui em casa?

Estou saindo com o Cacaso há seis meses, o negócio fica mais sério a cada dia. Como não estamos de brincadeira e nos gostamos de verdade, resolvi checar com a minha mãe algo que me angustiava.

– O Cacaso pode dormir aqui em casa?

Sem tirar o olhar da tela do computador, sem mexer um só músculo da face e sem tirar os dedos do teclado, ela respondeu, cândida:

– Pode.

Levei um susto.

– Pode? Mesmo?

– Claro, querida.

Saí do escritório radiante com a notícia, embora ainda chocada com ela. Passei tantos meses namorando espremida dentro do carro, nem acredito que minha mãe deixou assim, fácil. Bom saber que ela está mais aberta, mais liberal, mais século XXI. Liguei para o Cacaso para dar a novidade.

– Hoje mesmo ele vem dormir aqui, mãe – avisei, assim que desligamos o telefone.

– Ele? Ele quem!?

– O Cacaso, ué.

– O Cacaso vem dormir aqui? Não me diga isso, Maria de Lourdes! Por quê? O que aconteceu com a casa dele?

– Está tudo ótimo com a casa dele.

– Então por quê?

– Porque você deixou!

– Jamais deixaria um absurdo desses. Imagina, um cara maior que eu vir dormir na minha casa com a minha filhinha pequeninha ao alcance da mão! Era só o que faltava!

– Então por que disse que ele podia dormir aqui?

– Nunca disse isso.

– Eu fui há meia hora no seu escritório perguntar se...

– A Cacau podia dormir aqui.

– O Cacaso!

– Não! – exclamou, surpresa, olhos saltando do rosto.

– Sim! Agora já disse para ele que tudo bem e vai ficar superchato desmarcar.

– Não vai ficar nada superchato desmarcar. Ligue e diga que houve uma falha na comunicação. Isso vive acontecendo entre mães e filhas.

– Ele vai achar que você não gosta dele. Pode ficar triste, magoado.

– Ele que fique magoado vinte vezes por dia! Onde já se viu querer dormir na minha casa tendo sua própria casa? Pode tratar de desmarcar. Imagina o que os vizinhos não iam falar de você trazendo homem para dentro do apartamento, Maria de Lourdes?

– Não é um homem qualquer, é o meu namorado! E eu não ligo para os vizinhos!

– Nem eu. Mas que eles iam falar, ah!, isso iam!

– Deixa, mãe! Por favor!

– Não, Maria de Lourdes! Já vi esse filme. Depois o menino se acostuma com a mordomia e vai ficando, ficando, e eu não tenho dinheiro para sustentar mais uma cabeça, não!

– Fala sério, mãe!

– Estou falando, o Cacaso tem um apetite de leão, come por dois. Depois, com tanta convivência, aposto que em pouco tempo você engravidaria e, sem dinheiro para comprar um apartamento, pediria para morar aqui com ele e a criança. E eu não quero que a minha casa vire um cortiço.

– Caraca, mãe, como você é irritante. Tudo o que eu estou te pedindo é para o meu namorado dormir aqui esta noite. Só isso.

– Só? Maria de Lourdes, você perdeu o juízo? Acha que sua casa é o quê? Motel? Isso aqui é uma casa de família, de respeito.

– Eu não ia desrespeitar a família nem a casa, mãe. Só queria namorar de forma mais confortável e sem correr risco nos mirantes.

– Mirante? Você namora em mirante, Maria de Lourdes? É perigoso! E é antigo também. Sua mãe namorou muito em mirante.

– É, mãe? Você pegou muitos caras antes de conhecer o papai?

– Não peguei ninguém, Maria de Lourdes! Que palavreado vulgar! – bronqueou. – Infelizmente quase não namorei. Só uns três gatos-pingados. Eu era muito difícil, ao contrário de você.

– Eu estou apaixonada pelo Cacaso, mãe. Deixa ele dormir aqui. Além de me adorar e me tratar como princesa, ele é uma pessoa linda, batalhadora, trabalhadora, superesforçada...

– E daí? – disse ela, sem se comover com o currículo do meu namorado.

– Pinta, toca piano...

– Piano? Que chique, Maria de Lourdes. Enfim um rapaz de boa estirpe.

Um sorriso orgulhoso tomou conta de seu semblante. Bingo!

– Vai deixar?

– Hum... Posso deixá-lo dormir aqui, sim, mas com uma condição.

– O que você quiser! O que você quiser!

– Você dorme na cama comigo, trancada no meu quarto, só sai quando eu sair. Ele dorme no sofá da sala.

– Mas aí nós não vamos dormir juntinhos.

– Dormir juntinhos? Que petulância, Maria de Lourdes! Você estava pensando em dormir com o seu namorado na mesma cama, na minha casa?

– Claro.

– Era só o que me faltava! Nem em sonho isso vai acontecer. Pode tirar o cavalinho da chuva.

– Por quê? Todas as mães deixam os namorados dormirem em casa com as filhas.

– Que mães, cara-pálida? Minha analista disse que eu não preciso fazer nada que me violente só para ser moderna. É não e pronto. Ligue e desmarque.

Liguei e desmarquei. Mas, ao contrário do que eu mesmo acreditava, fiz isso sem nenhum rancor. É que pensei bem e acabei concordando com a minha mãe. Se só a ideia de a filha dormir em casa com o namorado a deixa tão desconfortável, melhor não levar adiante. E eu não vou morrer se não dormir com o Cacaso. O Cacaso não vai morrer se não dormir comigo. Então, a gente espera até eu ganhar dinheiro para ter meu próprio apê. Sem pressa.

Se eu fosse mais nova talvez me rebelasse e desse um daqueles ataques típicos de adolescente. Mas do alto da minha maturidade de 19 anos, preferi não me estressar e seguir à risca o que minha mãe sempre ensinou: para conviver bem com uma ou mais pessoas sob o mesmo teto é preciso aprender a ceder. E minha mãe é tão bacana, sempre fez tantas concessões por mim... hoje foi a minha vez de ceder. E posso garantir, não doeu quase nada.

20 anos

Uns quilinhos a mais

Morar com a mãe é bom, mas às vezes é chato, chato. Um exemplo? O passatempo atual da minha é passar o dia a me lembrar o que eu preferia esquecer, que a balança acusou uns quilos a mais a última vez que me pesei.

– Maria de Lourdes, essa roupa não te valoriza. Você está gorda, minha filha. Talvez meia Maria de Lourdes entrasse nessa calça, uma inteira, nem pensar. Gente gorda não pode achar que é magra e querer usar roupa de gente magra. Fica pavoroso.

Gorda! Duas vezes a palavra "gorda". E ela encheu tanto a boca que por um instante me passou a ideia de que estava feliz com os meus quilos a mais.

– Eu não estou gorda. Apenas ganhei uns quilinhos.

– Cinco quilos e trezentos gramas, ou seja, cinco quilos e meio, quase seis.

Que doce de mãe!

– Obrigada por me lembrar com tanta exatidão.

– E o pior é que seu corpo engordou por inteiro, Maria de Lourdes. Você está bochechuda, pescoçuda, braçuda...

– Já sei! Você me diz isso trinta vezes por dia!

– Sovacuda.

– Não existe essa palavra!

– Mas você entendeu o que eu quis dizer.

– Eu já cortei refrigerante da minha vida.

– Não adiantou nada, continua barriguda.

– E peituda?

– Hummm... não. Nem um pouco peituda.

– Droga!

– Mas muito, muito bunduda. E bunda quadrada, meio achatada, um terror. Você precisa se cuidar, Maria de Lourdes!

– Preciso de um spa, isso sim.

– Spa? Não diga sandice! Você acha que tenho dinheiro para pagar um spa?

– Spa é a abreviação de esparadrapo, mãe, e esparadrapo é spa de pobre! É só botar um na boca para parar de comer.

– Ah, se fosse simples assim! Não tem dieta, não tem spa, não tem ginástica que vá te livrar da balança, vá se conformando. Sua mãe tem tendência para engordar, sua avó tem tendência para engordar e seu pai é gordo. Logo, ser gorda está no seu futuro.

– O papai não é gordo! É forte.

– Forte é gordo.

– Claro que não!

– Claro que é. É só um jeito carinhoso de chamar uma pessoa de gorda. Eu, por exemplo, quando comento sobre suas banhas com as minhas amigas nunca, nunca me refiro a você como gorda, só como forte. Digo: "minha filha era magra, mas agora está forte. Beeeem forte."

– Minhas banhas? Você comenta "as minhas banhas" com as suas amigas? Isso é o cúmulo da falta de respeito! Ou seria da falta de assunto?

– Qual o espanto? Vai me dizer que você acha que não tem carne sobrando nesse seu corpinho volumoso?

– Eu não estou me achando tão gorda assim.

– Você está uma baleia, querida.

Que raiva! Se não fosse minha mãe ia ouvir muito! "Quem pediu sua opinião?", "Baleia é você!", "Isso não é gordura, é excesso de gostosura!". Não disse nada disso.

– Mas o meu namorado Rômulo continua apaixonado por mim.

– Não se sabe até quando... seu namorado Rômulo é todo preocupado com a saúde, com o que come... e você relaxada desse jeito com o seu próprio corpo, tsc, tsc, tsc. Nem um ano de namoro vocês têm, ele pode pular fora num estalar de dedos.

– Mãe! Se você queria me irritar, parabéns, conseguiu, não precisa mais se esforçar.

– A verdade dói, eu sei, filha. No seu caso, a verdade pesa. Mas se eu não te disser a verdade quem vai dizer? Duvido que alguma amiga sua tenha coragem de falar que você está parecendo um hipopótamo de saia.

– Fala sério, mãe!

– Um filhote de hipopótamo, Maria de Lourdes! – tentou consertar.

– Ah, sim, agora estou aliviada.

– Não dá para discordar da mamãe, filhota... você está toda redondinha, parece até que casou.

– Por que é que todo mundo que casa engorda e enfeia?

– Não sei. Sei que depois do casamento meus culotes aumentaram dez centímetros.

– Dez centímetros? Vou começar o regime na segunda – decretei.

– Hoje.

– Amanhã.

– Assim que eu gosto de ver! Mostre sua força de vontade, Maria de Lourdes!

– Cortarei doces e as bobagens entre as refeições. E passarei a caminhar diariamente. Vou perder rapidinho, você vai ver só.

– Maravilha! Começamos nossa dieta amanhã!

– Começamos?

– Claro! Uma fica de olho na outra, uma incentiva a outra e vigia para nenhuma das partes cair em tentação.

– Mãe! Por um acaso você está me induzindo a pensar que estou gorda só para eu te ajudar na sua dieta?

– Lamento informar, mas você está gorda mesmo, minha filha, parece uma escultura do Botero. Quanto à dieta... nós duas juntas podemos dar força uma à outra, não deixar a peteca cair.

– Mas vou logo avisando que quero perder só dois desses cinco quilos que ganhei.

– Seis, você quer dizer. Mas por quê?

– Porque eu estou me achando uma gostosona e porque o meu namorado Rômulo me acha linda com as formas mais arredondadas. Ele diz que eu fico... mais mulher – sussurrei perto de seu ouvido.

– Maria de Lourdes! Olha o respeito! – chiou, para logo depois emendar: – Que homem é esse que te acha bonita gorda? Onde você achou esse homem que admira formas arredondadas? Três vivas para o seu namorado Rômulo! Viva! Viva! Viva! Não o deixe escapar, minha filha, esse rapaz é de ouro!

O armário materno

Eu e minha mãe não temos o gosto nada parecido. Ela é adepta do estilo perua pós-moderna, caindo eventualmente para o estilo trabalhadora do Brasil. Eu gosto do casual agressivo, do esportivo chique, do básico detalhista. Mas em alguns raros assaltos a seu guarda-roupa, já consegui pinçar umas duas ou três peças interessantes. Só que minha mãe não gosta muito de me emprestar suas coisas.

– Com esse sapato você não vai mesmo! A senhorita me fez o favor de estragar os saltos de todos os meus sapatos! Todos! E não botou para consertar, não! Eu que pague o conserto.

– Eu vou pagar, mãe! Não precisa jogar na cara. Só não quero consertá-los agora porque acho perda de tempo. Melhor ferrar os sapatos mais um pouco, assim eu vou ao sapateiro uma vez só.

– Aonde é que você tem ido com os meus sapatos, posso saber? Pelo estado de calamidade deles, suas festas devem acontecer em florestas ou ruas de lama, pedras e paralelepípedos.

– Ai, mãe, que exagero.

– Exagero? Se os saltos não voltam quebrados voltam descascados, arranhados, tortos. Você não sabe andar de salto alto, Maria de Lourdes, encare os fatos. Você não anda, minha filha, você marcha. Pisa com uma força que quase fura o chão. Saltos altos e finos exigem delicadeza, elegância, duas coisas que você não tem. Por isso, a partir de agora compre seus próprios sapatos de salto alto.

– Mas eu quase não uso salto, só para sair à noite! Não quero gastar dinheiro com sapato, preciso pegar os seus emprestados – argumentei. – E agora? Estamos num impasse.

– Impasse? Que impasse? Os sapatos são meus e eu não quero mais emprestá-los para você. Não tem impasse nenhum. Pega os sapatos da Malena.

– Que calça dois números abaixo do meu? Ah, sim, claro – debochei.

– E não são apenas meus sapatos que sofrem. Meu lenço de seda está manchado até hoje.

– E era o único lenço seu que eu gostava... – lamentei.

– Para sua sorte eu não gostava muito dele, por isso não dei um ataque. Porque se fosse o lenço que é uma imitação perfeita de Chanel...

– Aquele lenço é medonho. Jamais pegaria emprestado.

– Medonho? Não diga sandice, Maria de Lourdes! Ele é um espetáculo!

– De horrores. Pior do que ele só o vestido abóbora, branco e verde, que parece uma cortina.

– Não devaneie, Maria de Lourdes! Aquele vestido foi feito com costureira das antigas!

– A verdade dói, mãe. Fazer o quê?

– E meus brincos? Aposto que você já pegou meus brincos para dar uma voltinha.

– Que brincos? As miniárvores de Natal e os adereços de escola de samba? Nunca peguei, nem nunca vou pegar, pode ficar sossegada. Temos estilos diferentes, mãe. Por isso eu quase não pego nada no seu armário.

– Até parece, você adora o meu estilo.

Não consegui segurar a risadinha cínica que brotou em mim.

– No seu armário, o que eu pego mesmo é sapato, que, não sei como, você sabe comprar direitinho. De roupa, só um vestido de brechó e uma saia preta comprida. E, ao contrário do que você acabou de dizer, não, eu não gosto do seu estilo.

– Não gosta? Por quê?

– Acho você zero estilo, zero elegância, zero atitude.

Peguei pesadíssimo. Pisei no seu ponto fraco.

– Desenvolva esse raciocínio, Maria de Lourdes... – pediu, séria.

– Eu te acho cafona, ué. Jeca. Não é assim que se dizia no seu tempo?

– Jeca!? Você me acha jeca? Assim você está magoando a mamãe!

– Não gosto do seu estilo, mãe, só isso. Não precisa fazer drama.

– Pois fique sabendo que eu também não gosto do seu.

– Beleza, estamos quites.

– Eu é que te acho cafona, jeca e sem gosto. Você se veste igual a todo mundo. Eu, não! Eu tenho personalidade, crio minha própria moda.

– Beleza.

– Você não. Você só quer saber de camisetas básicas, pretinhos básicos, calças jeans básicas, chinelos básicos... quer coisa mais cafona que ser básica?

– Eu não me acho cafona.

– Ninguém se acha cafona, mas todo mundo acha todo mundo cafona.

– Cafona está essa conversa, viu? Nós estamos falando de estilo, cada uma tem o seu, ótimo. Não tem com o que se estressar.

– Você não tem noção do que está dizendo, Maria de Lourdes. Ninguém com 20 anos sabe o que é estilo. Ninguém com 20 anos encontrou seu estilo. Para conversar sobre estilo com você, melhor eu esperar uns dez anos.

Agora ela pegou pesado.

– Posso até não ter estilo, mas pelo menos eu não me deixo engrupir por vendedor.

– Eu também não. Só às vezes...

– Mãe!

– Tá, tá! Muitas vezes.

– Você cai na conversa de qualquer camelô.

– É que eles me juram de pés juntos que o brinco não vai ficar preto, eu acredito e compro.

– Tá bom, mãe, vamos parar com esse papo, senão a gente vai acabar brigando.

– Está bem, é melhor, mesmo.

– Já que você não vai mesmo me emprestar o sapato, posso pegar então aquele colar de pedras verdes?

– Não.

– Juro que não estrago.

– Nããããão!

21 anos

Voo solo

– Você tem certeza de que é isso que você quer?

– Absoluta.

Com olhos e cílios encharcados, ela me deu mais um abraço esmagado. Era o décimo, décimo primeiro, por aí. Mas parecia o último daquela manhã em que, de malas prontas, eu me despedia de uma era. Dentro de alguns instantes, fecharia a porta e deixaria para trás o apartamento e todas as histórias que vivi dentro dele.

Ah, se as paredes falassem! Eu sei que falei por elas. E como! Mamãe também falou. Dez vezes mais que eu. Malena e Mamá falaram e continuam, como a mamãe, falando muito, sempre. Enquanto morou aqui, meu pai, verdade seja dita, também falou pelos cotovelos. Somos uma família de comunicação. Literalmente, já que eu me formo em jornalismo no ano que vem e o Mamá demonstra sérias inclinações para a profissão. Malena já avisou que quer ser médica, mas meus pais preferem acreditar que, em vez disso, ela se tornará uma famosa jornalista especializada em saúde.

Agora acabou o que era doce. Tenho de ir. Mesmo. Os diálogos, as emoções e todos os momentos que importam vão ficar guardados numa gavetinha muito especial da memória. Toda vez que der saudade é só ir lá, abrir, relembrar e matar a saudade.

Saio tranquila, boba de felicidade, com a sensação indescritível de quem realiza um sonho. Com a grana do estágio, consegui dizer sim à proposta de uma colega de turma para dividir um *minimicromicroapartamento* em Copacabana, que é perto da minha faculdade e do meu estágio, com ela e mais quatro amigas.

Decisão dura de ser tomada, afinal, com a minha mãe, além de casa, comida e roupa lavada, sempre tive amor, atenção e colo. Mas estava desgastante ir da Tijuca para a Urca, da Urca para o Flamengo e do Flamengo para a Tijuca todo santo dia. Minha mãe não reagiu nada bem quando contei a novidade.

– Não diga sandices, Maria de Lourdes! Você é um bebê! – ela esperneou, mão no peito, expressões de diva de ópera.

– Mas eu vou vir sempre aqui.

– Não é a mesma coisa! Ai, Deus, a minha filha não gosta de mim! O que foi que eu fiz?

– Mãe, que drama desnecessário! Eu te amo, você sabe disso. Mas preciso viver a minha vida.

Depois de muito choro, de muito abraço e de muitas juras de que a visitaria toda semana, mamãe viu que a mudança era mesmo a melhor solução e conformou-se.

– Levou suas bonecas, seus bichinhos de pelúcia? – perguntou, lágrimas nos olhos.

– Não. Vou deixar tudo aí.

– Não acredito! Jurei que fosse me livrar daquela tralha! Aquilo só serve para acumular poeira!

– Lamento, mãe, mas eles não cabem na minha casa nova.

– E sua foto com o Tio Patinhas? Tirei do porta-retratos da sala e botei na sua mala, para você enfeitar a casa nova.

– Não acredito! Aquela foto é péssima, estou horrorosa nela, você que insistiu para bater!

– E cobertores, lençóis, essas coisas? Pegou tudo direitinho?

– Sim.

– Como você vai fazer para lavá-los?

– Acumulo a roupa suja até fazer um montão e trago aqui quando vier te visitar.

– De "acumulo a roupa" até "montão" está corretíssima. A segunda parte é que não vai acontecer. Recomendo que você descubra onde tem lavanderia na sua vizinhança ou compre uma máquina de lavar.

– Não cabe no apartamento.

– Não cabe nada nesse apartamento? Como é que vocês vão fazer com o sofá?

– Que sofá? Não tem sofá, tem só uma poltrona e uma cadeira.

– E onde as pessoas vão sentar?

– Na poltrona, na cadeira ou no chão, ué.

– No chão?

– Estilo oriental, mãe, é só levar na esportiva.

– E as camas?

– Tudo beliche.

– Para descobrir segredo, você sabe, é só botar um chinelo em cima da barriga da pessoa quando ela estiver dormindo e começar a fazer perguntas.

– Fala sério, mãe! Eu não quero descobrir segredo de ninguém. Segredo é segredo, a pessoa me conta se quiser.

– Ah, é que eu quero dar dicas, mães dão dicas quando os filhos saem de baixo da sua saia.

– Então trate de me dar uma dica melhor.

– Deixe-me ver, deixe-me ver... já sei! Antes de sair não deixe de conferir se todas as luzes estão apagadas.

– Tá. Boa dica.

– Observe os prazos de validade antes de comprar.

– Beleza.

– Não se drogue.

– Nunca!

– Não solte pum de janela fechada, você disse que o apartamento é um ovo e seu pum é um pum de categoria.

– Tá, mãe, pode deixar – concordei, com um sorriso.

– Não fale com estranhos.

– Manhê! Se eu não falar com estranhos, não caso!

– É verdade, é verdade, Deus me livre.

– Também não é para "Deus me livre!", né?

– Tem razão, filhota. Ah, sim! Cuidado ao atravessar a rua!

– Mãe, eu tenho 21, não 2 + 1!

– Tá! Tá! Lembrei de uma dica importantíssima: compre um aspirador portátil, é a invenção do século.

– Vou botar na minha lista de desejos de aniversário, quem sabe assim eu não ganho um de presente?

– Entendi a indireta, está bem, eu dou o aspirador.

– Oba!

– Outra coisa: não namore mais meninos do tipo adrenalina. Não quero mais ver você pulando de asa-delta, de paraquedas, de *bungee jump*, cuspindo fogo... nada disso! E motoqueiro, nem pensar! Fora de cogitação!

– Tá ótimo, mãe. Mais dicas?

– Tenho. Não perca o hábito de abraçar quem você ama.

– *Xá* comigo.

– E não faça sexo sem amor.

– Ô, mãe... aí eu não posso prometer... – impliquei.

– Maria de Lourdes, olha o respeito! – bancou a ríspida para logo depois rir cúmplice comigo.

Passamos alguns minutos com os olhos grudados uma na outra, sem piscar. O que se passava pela cabeça dela eu não sei. Na minha, um monte de cenas da minha vida, cenas engraçadas, desastradas, tristes... cenas com ela.

– Vou sentir saudade das nossas conversas, mãe.

– Eu também. Muita.

– Até das nossas brigas.

– Até. Aprendi muito com elas. Aprendi muito com você.

– Jura? – reagi, surpresa.

– Se você tiver aprendido comigo um décimo do que eu aprendi com você, serei uma mãe para lá de feliz, pois vou saber que te criei muito bem para esse mundo doido aí de fora.

– Para, mãe! Assim eu vou chorar!

Agarrei minha mãezona e a enchi de beijos. Depois disse:

– Ainda vamos aprender muito uma com a outra. Não é porque estou saindo de casa que vou deixar de aprender com você. Temos a vida toda pela frente.

– Arrã... – disse ela baixinho, enxugando as lágrimas, evitando me olhar nos olhos para não abrir ainda mais a torneira.

Depois de me despedir de nariz inchado de todo mundo, eu me virei e fechei a porta, partindo para uma nova etapa da minha vida. Quando saí do prédio, Heloísa e Bené já me esperavam no carro. Do meu agora antigo apartamento, veio o último aviso:

– Maria de Lourdes! Não se esqueça de só deixar o tênis do chulé na área de serviço ou do lado de fora da janela! Senão as meninas não vão conseguir dormir!

Olhei para cima com cara de brava, mas abri um sorrisão quando vi minha família debruçada na janela para me dar até logo. Minha mãe me encarava como quem encara uma criança indefesa. Naquele momento, me emocionei e tive a gostosa certeza de que ela não vai mudar nunca, por mais que eu cresça.

Entrei no carro e Helô brincou:

– Não adianta. Mãe é tudo igual, só muda de endereço. Lá em casa foi a mesma coisa na hora da despedida.

– É... – concordei sorrindo, antes de abrir o vidro para o último recado familiar: – Eu não tenho chulé!

– Tem sim! – berrou minha mãe, toda chorosa.

– Um beijo, mãe! E obrigada por tudo! Eu te amo! – gritei, lá do fundo da alma.

– Eu também, minha filha. E quando chegar no apartamento me liga!

Não tive tempo de responder. O carro arrancou, as lágrimas escorriam.

Filme de terror

Saí de casa decidida a deixar para trás a menina superprotegida da mamãe. Precisava me conhecer melhor, me entender, me enxergar como uma mulher adulta e me comportar como tal. Foi puxado no início. Muito (muuuuito) mais difícil do que eu pensava que seria.

Logo percebi que, no estranho mundo novo onde fui morar tão empolgada, a comida não fica pronta sozinha, papel higiênico acaba e (inacreditável, mas) não nasce outro em seguida no rolo, produtos de limpeza e alimentos não surgem na despensa num estalar de dedos, a roupa suja não fica limpinha e cheirosa como num passe de mágica e a cama (Ó! Meu! Deus!) depende de você, e só de você (!!!) pra ser arrumada. Sim, é pior do que o pior filme de terror.

Isso sem falar da tragédia das tragédias: a louça. Se você não lava, ela simplesmente se recusa a sair da pia! É! E mais! Louça se multiplica numa velocidade inacreditável, quando você se dá conta a pia está lotada de panelas e pratos usados esperando por quem? Por você, querida pessoa adulta-supermadura-que-resolveu-morar-sozinha. Na boa, eu acho um absurdo, nos dias de hoje, com todos os avanços tecnológicos, a louça não se autolavar. É como diz a sábia frase da Ida Feldman: "Enquanto você estiver vivo, vai ter louça." Ô, se vai, Ida...

Chamei mamãe pra conhecer a minha nova... hum... casa depois de três semanas e meia morando lá. Uma visitinha básica. Antes não dava, ela não teria estrutura emocional para tamanha bagunça. Umas caixas minhas ainda estavam estacionadas no canto da minúscula sala. Era esse nível de bagunça.

Como quem não quer nada, deixei um saco de roupas sujas escondido na despensa para dar pra minha mãe, caso ela se compadecesse da minha dor. Ok, dor é exagero. Mas queria que ela ouvisse o drama que eu estava vivendo ali. Drama é exagero? Ah! Mas é mesmo um drama viver numa bagunça e não conseguir se organizar!

Assim que entrou no apartamento, falou, com o desgosto estampado na cara:

– Ah, não, Maria de Lourdes! Suas amigas são iguais a você?

– Piores, mãe. Muito piores – exagerei.

– Impossível. Não existe ninguém pior que você no quesito bagunça, Maria de Lourdes. Volta pra casa, filhota!

Foi difícil não voltar, mas resisti. Vou explicar: Bené e Helô são tão bagunceiras quanto eu. Helena, que teve a ideia de dividir o apartamento, repensou tudo quando viu a zona (para não dizer chiqueiro) que aquele lugar estava se tornando dia após dia. Resultado, foi a primeira a pedir pra sair. Depois dela, Frida, a mais arrumadinha, nos abandonou.

– Não tô aqui pra ser faxineira de vocês, não! Vim pra morar com amigas que eu achei que fossem limpinhas e que arrumariam a casa comigo.

Quase tive uma crise de riso com o "limpinhas", mas me contive.

– A gente pode até não ajudar na faxina, mas a gente fica te entretendo enquanto você arruma – tentou Helô.

– É, a gente te faz rir, conta fofoca... – complementou Bené.

– Caguei! Vocês estão transformando este apartamento num antro de germes e bactérias! E eu li outro dia que a maioria das doenças infecciosas a gente contrai dentro de casa, por conta da falta de higiene. Vocês sabiam? Na boa, eu não tô nem um pouco a fim de ficar doente! – continuou Frida, muito irritada mesmo.

– Calma, povo! – Foi tudo o que consegui dizer.

Na verdade, eu estava pensando se eu e a Frida não fomos trocadas na maternidade, porque aquele discurso todo poderia ter sido dito pela minha dileta mãe. Ângela Cristina morreria de orgulho de mim se eu proferisse aquelas palavras com tanta veemência.

– Maria de Lourdes, você tem ido muito pra balada e dormido pouco? Porque, minha filha, essa olheira não tá nada suave. Você está parecendo um panda, nada suave. Suave. Nada suave na nave. Suave na...

– Para. Para de repetir suave, por favor. Tá errado. Tá ruim. Não é assim que se usa suave. Apenas pare.

– Estou querendo te ajudar. Você precisa descansar. Pra que dois estágios?

Ah, sim. Eu agora era estagiária em dois lugares. Cansativo, mas recompensador. Fiquei tão feliz quando consegui o segundo! Sinal de que pelo menos algum talento eu tinha.

– Um em rádio e outro em TV – enchi o peito para falar.

– Num, atendendo telefone, no outro servindo cafezinho pro chefe – alfinetou mamãe, sendo mais mamãe do que nunca. – Sai dessa pocilga e volta pra casa, Maria de Lourdes. Tá tudo tão vazio sem você. Vai embora daqui, filha! Ainda mais agora, sem as outras duas. Não tem necessidade de pagar aluguel, você é muito mocinha pra isso, melhor guardar uma graninha a pagar aluguel.

Rolou um desespero depois que as meninas foram embora, fato. Mas parece que Deus ajuda quem cedo madruga mesmo. Helô foi a primeira de nós a ser efetivada no estágio e ganhar mais um dinheirinho assim que a gente se mudou (viva a Helô!) e Bené começou a fazer uns bicos trabalhando em eventos para ajudar no orçamento. Então, o apê acabou não pesando tanto no nosso bolso. Conseguimos nos virar. E quer saber? Isso me dá muito orgulho.

– Bom que aqui é tão pequeno que não tem espaço pra fazer social. Assim você consegue se concentrar nos estudos.

– Claro.

Na verdade, social lá em casa era dia sim, dia não. Até porque o povo que vinha ajudava a gente com a louça. Mas minha mãe ia ficar mais calma pensando que não rolava nada que tirasse meu foco da faculdade. Não foi mentira. Tá. Mentirinha, vai.

– E os namoradinhos?

Eu com 21-quase-22-anos na cara, e minha mãe continua usando o diminutivo. Pelo menos, o "amiguinhas" ela aboliu.

Um ano atrás. Mas aboliu. Antes tarde do que nunca.

– Ah, mãe... Parece que eu nunca vou encontrar um cara perfeito.

– Que cara perfeito, Maria de Lourdes? Se é homem, não tem como ser perfeito.

Rimos juntas. Como era exagerada e dramática a minha mãe! Aprendi ao longo do tempo a rir dessas frases loucas típicas de Ângela Cristina.

– Você é muito nova pra namorar.

– Ah, mãe, tô cansada de pegar gente, queria ficar mais sério com alguém, sair sem ficar olhando pros lados pra ver se alguém me chama a atenção.

– Eu acho ótimo você sem namorar. E sem pegar gente também. Odeio quando você fala assim, aliás, não criei filha pra pegar ninguém, coisa mais chula!

– Tá, entendi. Virou a mãe chata de novo. Impressionante como não dá pra conversar com você – chiei, antes de me lembrar das roupas que eu queria que ela lavasse pra mim. – Mas você continua sendo a melhor mãe do mundo!

É. Eu não valho nada.

– Own.

– A mãe mais fofa.

Eu não valho nada, parte 2.

– Eu sou fofinha mesmo. Você me enche o saco e eu continuo muito fofinha. Impressionante o tamanho da fofura.

– A mais linda.

Sei, sou praticamente má de novela!

– Ah, se você tá falando eu não v... O que é que você tá querendo, Maria de Lourdes?

– Que você leve minha roupa pra lavar... – pedi, fazendo charminho.

Mamãe nunca resiste ao meu charminho.

– Fala sério, Maria de Lourdes! Tá me achando com cara de lavanderia, Maria de Lourdes? Vê se te enxerga, garota. Tem lavanderia aqui na sua rua, sabia?

– Mas é cara...

– Pois é, vida de adulto custa dinheiro, meu amor. Mas é muita cara de pau, viu?

Saiu de lá uma hora depois. Irritada, com uma tromba gigante, pisando firme. E com meu enorme saco de roupas sujas nos braços.

– É a primeira e última vez, hein, Maria de Lourdes!?

Foi a primeira de muitas. Em compensação, foi a primeira e última vez que ela visitou o meu *apertamento*. E afirmou que o mínimo que eu devia fazer para ter "essa folga" de roupa limpinha e cheirosa era uma visita pra ela e meus irmãos de vez em quando.

Não era saudade. Dona Ângela Cristina só não queria passar aspirador, arrumar meu armário e lavar a louça como fez, atendendo às minhas súplicas, da primeira e última vez que me visitou.

Vida de estagiária

Na rádio, onde, além de atender telefonemas dos ouvintes, acompanho o que as concorrentes estão tocando (não é exatamente eletrizante a minha função, mas desde o início é bem divertido trabalhar lá), ganhei nova tarefa, que me mata de vergonha e alegria ao mesmo tempo.

Tudo começou quando perguntei pro meu chefe:

– Maurício, o que é um pontinho verde na Antártica? Um *pingreen*. Rá!

É, eu mesma respondi, tenho que perder essa mania.

No outro dia:

– O que é um pontinho rosa no estádio de luta dos Pokémons?

– O *Pinkachu*?

– Aê!!! Tá aprendendo!

– Eu sabia, bocó. Você fez essa semana passada, tem que melhorar o repertório, garota.

Depois que fui morar sozinha, acabei me descobrindo mais extrovertida, mais soltinha. Não sei se tem relação uma coisa com a outra, sei que quanto mais o tempo passa, mais eu gosto de mim, mais eu fico confiante. Isso. A palavra é confiante. E essa autoconfiança é tão boa de sentir.

No mês seguinte...

– Fala, chefitcho. Ih, que cara é essa?

– Tô *bega* entupido. *Uba* sinusite braba.

– Tadinho! Sabe que teve um cara que morreu de sinusite, né?

– Vira essa boca pra lá, *Balu*!

– Sério! Ele foi limpar o teto da igreja e de repente o sino... site na cabeça dele.

Mesmo entupido e inchado, ele riu da bobeira.

– Conta outra!

– Hmmm... Já sei. É charada, tá?

– Tá.

– Era uma vez um cesto onde dormia um gatinho muito fofo chamado Tido. Um belo dia o Tido sumiu. Qual o nome do filme?

Calado, Mauricio manteve a cara de balde.

– Cesto Sem Tido.

Rimos juntos e quando eu estava saindo da sala...

– *Balu!* Bora gravar isso? Botar na *prograbação*?

– Oi?

– Isso *besbo* que você ouviu. Bora gravar e colocar no intervalo. Os ouvintes vão adorar.

– Eu escrevo, então?

– Escreve só, não! Escreve e grava. Você é *buito* engraçada contando piada, e sua voz é ótima! *Vabos cobeçar* gravando 15 e soltando *uba* a *uba*, aos poucos, na *prograbação*. Se der certo, a gente grava outras. Topa?

– Supertopo! – concordei, pondo de lado a Malu adulta e deixando vir à tona cada vez mais a Malu expansiva que sempre existiu em mim.

– Então seu trabalho hoje é fazer isso: escrever o que você tem de *bais* engraçado pra agradar nossos ouvintes.

O público da rádio tinha entre 15 e 29 anos. Eu era capaz de gravar! Era sim! Bateu um medo, uma insegurança monstro, mas foi tão bom ver meu chefe confiando em mim, acreditando no meu potencial...

Chegou o dia de gravar e num primeiro momento eu morri de timidez, mas no momento seguinte eu pus em prática o que aprendi no curso de teatro quando eu era mais nova. Encarnei a personagem locutora-muito-animada-mesmo, respirei fundo, e saí falando, cheia de energia e vontade de fazer bonito.

Deu certo! Os ouvintes mandaram mil mensagens elogiando. Gravei mais. Lembro que Helô me ligou, às gargalhadas, só pra dizer que estava num momento super-romântico com o namorado, quando ouviu minha voz na rádio e o clima foi por água abaixo. Pobre namorado. Deve me odiar. Ela só conseguia rir e dizer pra ele: "Minha amiga! Minha amigaaaa!"

E não é que o que começou como brincadeira rendeu fruto?

– Malu, o que você acha de botar voz no spot de um refrigerante? Eles pagam. Longe de ser uma fortuna, mas é um dinheirinho a mais que entra pra você. Quer? – sondou Niel, redator lá da rádio.

Topei na hora, claro.

E quando fui gravar, pude ter um contato maior com outro estagiário, o Ricardo, que cuidava do som e fazia Comunicação como eu. Estava no sétimo período, queria ser publicitário, fazer jingle, era músico (eu amo músicos, sempre amei).

Ele era bocudo (amo boca gorda. A-mo!), ombros largos, nariz bem largo também (enlouqueço com narigão!), cabelo detonado e sobrancelha equivocada, mas tão charmosa... E ainda tinha voz de barítono.

Cheguei do almoço e tinha um bilhetinho em cima da minha mesa.

Cineminha hoje depois da rádio? Seção das dez? Eu saio antes de você, mas se quizer eu te espero pra irmos juntos.

Quis me rasgar com a pobre sessão das dez escrita de forma errada e com o quiser com z. Poxa, o cara estudava Comunicação, lidava com a língua portuguesa, se dizia compositor, e escrevia seção em vez de sessão? Quizer em vez de quiser?

Não corrigi os erros, quis que ele me esperasse e parti com ele rumo ao Estação Botafogo. Comprei jujuba, minha perdição, e ofereci.

– Brigado. Fazem dois anos que eu não como açúcar.

Um vulcão de desgosto explodiu dentro de mim. Como é que aquele menino todo lindo me manda um "fazem anos"? Que sacanagem!

– Faz dois anos? – tentei corrigir discretamente. – Jura? Eu não ia conseguir ficar sem açúcar na vida, sou formiguinha.

No escurinho da sala, ele pousou sua mão sobre a minha, rolou aquele momento pré-beijo e depois... Mmmmnhuaaac! Que beijooooo! Perfeito! Tá de pa-ra-béns, bocudoooo! Pa-ra-béns!, eu berrei em pensamento enquanto nossas bocas ainda estavam grudadas.

Ele me deixou em casa (fofo) e, quando nos despedimos, ele mandou, romântico:

– Vamos se ver mais vezes fora da rádio.

Eu morri por dentro. De novo.

Ter mãe jornalista me ajudou a ficar meio intolerante com assassinos da língua portuguesa. São serial killers, né? Porque matam as palavras sem pena. Várias. Uma atrás da outra.

Eu sei que falar "vamos nos ver" pode ser meio puxado, mas "vamos marcar" já rolaria! Aquele ali não lia nem bula de remédio.

E não adianta. Um cara lindo que beija bem, mas não tem conteúdo, é um banho de água fria pra mim. Ricardo começou a morrer na *seção* das dez, que eu *quiz* ir porque não resisto a um bocão mas... Não dava. Eu preciso de mais sustância gramatical. Fui dormir planejando mil maneiras de mostrar pra ele, com jeitinho, que nós dois não iríamos muito longe, que o problema não era ele, era eu... Ah, essas coisas que a gente fala quando termina.

Fiquei mais uma semaninha com ele antes de encerrar de vez. Foi difícil terminar, aliás. Ricardo bocudo beijava muito bem. E era tão bonitinho calado... Ô, dó...

Repensando a Faculdade

Fazer jornalismo sempre foi uma certeza absoluta pra mim, desde pequena. Enquanto a Malena passava o dia mirabolando ações para ficar famosa e meu irmão pendia ora para o futebol, ora para o desenho (o sonho dele é ter um estúdio de tattoo, mas não conta isso lá em casa nem sob tortura), eu nunca titubeei quando perguntada sobre o futuro.

Eu adoraria apresentar um jornal, ou assinar matérias em jornais importantes, ou ser repórter investigativa, ou cobrir desfiles de moda pelo mundo...

Taí, eu sempre quis trabalhar com moda. Aprendi a customizar minhas roupas quando finalmente entendi que dinheiro não nasce em árvore, e que minha família está longe de nadar em grana.

Fiz do limão uma limonada! Com tesoura, alfinete, tinta, cadarços, esmalte, caneta e outras mil coisinhas, fui renovando meu armário e, aos poucos, fui transformando velho em novo. E na boa, levo o maior jeito pra isso.

E também levo jeito pra escrever sobre moda, assunto que comecei a cobrir pro jornalzinho da faculdade. Vestido preto, a evolução do terninho ao longo dos anos, a influência das celebridades na moda, o-que-já-foi-muito-muito-cafona-mas-não-é-mais, esmaltes, comprimento de calça, cores, tendência, maquiagem.

Passei a gostar do assunto de verdade, a ler, a ver desfiles com outros olhos, a pesquisar sobre a história da moda. E aí bateu a dúvida: será que jornalismo é mesmo a minha praia? Por que não fiz faculdade de moda? Eu seria uma estilista tão boa!, comecei a me questionar no penúltimo período.

Fui na casa da minha mãe conversar sobre o assunto e admiti que estava pensando em abandonar tudo e começar outro curso do zero.

– Mas por que em vez de abandonar tudo você não une suas duas paixões, jornalismo e moda?

– Porque não sei se quero escrever sobre moda. Acho que eu quero mesmo é fazer. Criar peças, roupas, acessórios. O mundo tá precisando de uma estilista inovadora, elegante, sexy sem ser vulgar, sabe, mãe?

– E modesta, né, filha?

Eu ri.

– Maria de Lourdes, eu, se fosse você, terminaria a faculdade. Aí, depois de formada, se sentir necessidade, você se matricularia em outra. Mas abandonar um curso que falta tão pouco pra terminar eu acho uma burrice.

– Ô, mãe, não fala assim.

– Você já chegou até aqui, Maria de Lourdes! Vai rasgar tudo que aprendeu por uma coisa que você nem tem certeza se quer mesmo? Ou se tem o dom?

– Eu arraso customizando!

– Amo sua autoestima elevada, meu amor, mas deixa a mamãe explicar: uma coisa é customizar roupinha em casa, outra é criar uma coleção inteira, com conceito, unidade, coordenando uma equipe imensa, lidando com egos inflados todos os dias... Não é fácil, não.

– A vida não é fácil.

– Falou a Freud. Agora vai inventar de fazer Psicologia também?

– Aff, mãe, nem dá ideia. A Malu ia ser a pior analista do mundo! – gritou Malena, invadindo a sala, toda empinada.

– Por que, pirralha? – perguntei, enfezada. – Vem cá, você tava ouvindo a nossa conversa?

– Óbvio.

– Eu te odeio, sabia? A sua sorte é que tô com saudade. Vem aqui, vem, quero te dar uns apertos.

– Vou não, seu beijo é babado, cumprimenta de longe mesmo – ordenou, nariz em pé.

– Posso saber por que eu não seria uma boa terapeuta?

– Porque você não conhece nada da alma humana. E porque você não lê, e pra fazer psicologia tem que ler bastante.

– Eu agora leio, tá?

– Revista de moda não é exatamente leitura, fica a dica.

– Não é só revista, tô comprando livros de moda.

– Livro de foto também não é leitura, cê tá ligada, né?

– Malena, deixa de implicar com a sua irmã.

– Dou força pra você virar estilista, Malu.

– Maria de Lourdes, Malena. O nome da sua irmã é Maria de Lourdes – corrigiu mamãe.

– Tá boooom! Mas na boa, a Malu daria uma ótima estilista.

– Viu!? A Malena acha que eu levo jeito pra moda.

– Mas tem que vestir celebridades. Não as toscas, só as incríveis, tipo Taylor Swift, Jeniffer Lawrence, Beyoncé. A Bey, inclusive, precisa dar uma repaginada no closet, aquilo lá não tá bom não! Quem sabe você não assume isso? Vai ter ingresso de graça direto pra gente.

Garota chata. Fixação com esse mundo de famosos. Zero paciência pra isso.

– Vou ser estilista, não stylist. Não quero montar look pra ninguém, quero criar roupas que traduzam a alma das pessoas. Sejam elas célebres ou não!

Minuto de silêncio. Mamãe e Malena me encararam seriamente por alguns segundos antes de explodirem numa gargalhada.

– Coisa mais ridícula, Maria de Lourdes! Roupa traduz alma de quem, cara pálida? Hahahaha! Você me mata de rir, filha.

– Fala sério, mãe!

Saí de lá irritadíssima e ainda em dúvida sobre meu futuro. Acho muito injusto ter que saber, com 17, 18 anos, o que vamos fazer pro resto da vida. PRO RESTO DA VIDA é tempo pra caramba!

Conheço histórias de pessoas que fizeram uma faculdade, cansaram no meio, trocaram de curso e não se arrependeram. Liguei pro meu pai.

– Faz o que for te deixar feliz, filha. Vou te apoiar sempre, independentemente da escolha que você fizer. A única coisa que eu quero é que sua escolha te traga paz, serenidade e felicidade.

Lindo o meu paizinho. Pena que não ajudou muito. Afinal, continuei sem saber se eu queria fazer moda ou jornalismo. Ou psicologia. É, cogitei entrar nesse universo. O mundo precisa de uma terapeuta leve e grande entendedora da mente humana, ou seja, o mundo seria um lugar melhor se existissem terapeutas como eu.

Por que é tão difícil ser adulto? Quem é que ensina a gente a virar adulto? Por que crescer é tão mais complicado do que a gente pensa? Por que milk-shake continua engordando? Por que nada é perfeito? Por que a Terra é azul? Aaaaaaah! Para, que eu quero desceeeer!

22 anos

Uma questão de bom senso

Quando eu estava prestes a completar um ano no apartamento, um ano vivendo como mulher-que-mora-sozinha-e-é-dona-do-próprio-nariz, de pessoa-independente-que-não-precisa-de-mãe-nem-de-pai, garota-madura-que-lava-a-louça-quase-sempre, decidi fazer o que sempre quis, mas nunca tive coragem. Na verdade, coragem eu tinha, o que eu não tinha era permissão. Tá, não era só permissão. A chata da minha mãe sabe ser enfática quando quer.

Certa vez, aos 17 anos, arrisquei puxar conversa e pedir a opinião dela.

– Raspar a cabeça de um lado pra quê? Pra quê, Maria de Lourdes? Você comeu cocô?

– Não, mãe...

– Então por que você quer ficar parecendo uma tarântula do lado avesso?

Nem discuti sobre ser uma tarântula do avesso. Até porque não consegui visualizar, mas imagino que na cabeça da minha mãe seja a coisa mais medonha do mundo.

– Tá todo mundo usando! – tentei.

– Eu não sou mãe de todo mundo!

Aaaaaah! Como eu odeio essa frase!!!

– Mas tá todo mundo...

– Maria de Lourdes, se todo mundo resolver se jogar da ponte você vai se jogar também?

Segunda frase mais chata do mundo que toda mãe fala, não importa a idade dos filhos. Ela continuou:

– Não tenho culpa se todo mundo não tem mãe. Ou se todo mundo tem mãe, mas não tem espelho. Ou, pior, se todo mundo tem espelho, mas não tem bom senso! Essa moda é uma questão de bom senso, minha filha!

– A Alice ficou linda – tentei.

– Ficou não. Tá parecendo um punk da periferia arrependido.

Revirei os olhos. Até porque também não consegui visualizar um punk da periferia arrependido. Saco!

Eu queria ter conseguido peitar minha mãe, dizer que a mesada era minha e que eu fazia o que bem entendesse com ela, que o cabelo era meu e que eu fazia o que bem entendesse com ele, mas não tive coragem. Admito que me deu preguiça só de pensar nos (muitos) dias de embate que eu teria com ela.

Mas agora era chegada a hora. Fim do ano, férias, independente, morando com duas amigas, bem resolvida, multifacetada... Uma raspadinha não dói e não faz mal a ninguém. Fui ao salão e pedi pra raspar só de um lado. Eu ia ficar moderna. Cool. Despojada. Nova York. Londres. Tóquio.

Passa máquina daqui, ajeita de lá, joga de um lado, joga pro outro. Careca aparecendo, careca coberta, cabelo preso, cabelo solto. Uhuuuu!

Não. Sem uhuuu. Ficou uma bosta.

A minha mãe estava coberta de razão, era só uma questão de bom senso. Como diz a Dadá, mãe de uma amiga minha, bom senso é igual a desodorante, quem mais precisa não usa.

– Minha Nossa Senhora do Bulbo Capilar Perdido, o que você fez, Maria de Lourdes? – quis saber minha mãe.

– Raspei, tá? Raspei mesmo, raspei sim! Sou dona do meu nariz, faço dois estágios, ganho meu dinhei...

– Por quê? – perguntou, lábios tremelicantes. – Por quê?

– Porque eu quis! Porque eu posso!

– Você gostou? Diga com toda a sinceridade do mundo, Maria de Lourdes. Você está achando bonito sua cabeça com esse ninho de rato com um furo no meio?

Respirei fundo.

– Estou. Amei! Tô simplesmente apaixonada pelo meu cabelo.

É, eu menti pra minha mãe. Mas, poxa... Não podia dar o braço a torcer. Não queria que ela soubesse que eu estava me achando a mulher de 22 anos mais horrível e sem noção da face da Terra. No dia seguinte, confessei pra ela que tinha odiado e admiti que eu não queria que ela soubesse que eu tinha aprendido com ela, que, sim, era só uma questão de bom senso.

O temido TCC

Até entrar pra faculdade eu simplesmente ignorava a existência e, claro, o significado das três letrinhas mais faladas no meio acadêmico: TCC, o temido Trabalho de Conclusão de Curso. Eu vivia em paz e harmonia, eu era feliz e sabia, eu não tinha grandes preocupações na vida.

Tudo o que eu queria era uma roupa nova para uma festa, saber se tinha me dado bem ou não em uma prova, decidir entre praia e cachoeira num dia de sol, encontrar um cara bacana pra namorar (o que não rolou até agora), socar a balança quando ela acusava três quilos a mais... Superpreocupações, percebe-se.

– Faz sobre falta de educação no trânsito – sugeriu (quem? Quem?) minha mãe.

– O que tem a ver isso comigo? Cê mal me deixa dirigir.

– Claro, você dirige mal demais. – Ela implicou.

– Valeu. Superajuda.

– Mal-agradecida – chiou antes de desligar na minha cara.

Mamá
Fala sobre música. A influência da música na vida dos jovens. De Mozart a Demi Lovato e como a imprensa vem tratando o tema através dos séculos.

Malu
Beleza! Mas que mais?

Mamá
Que mais o quê?

Malu
Preciso desenvolver o assunto pra encher muitas páginas e ainda impressionar a banca.

Mamá
Ah, Malu, não ferra. Tô vendo a hora que você vai me pedir pra fazer seu trabalho.

Malu
Quer fazer?☺ Pra ir se acostumando com o que vem por aí e arrasar quando chegar a hora do SEU TCC!!! Vai ser lindo!

Mamá nunca respondeu. Eu dando uma oportunidade dessas pra ele e ele ignorando. Palhaço.

Malena achou que eu arrasaria fazendo um trabalho sobre "a influência e a extrema importância dos caramujos na culinária francesa".

– Você realmente acha que isso vai gerar interesse das pessoas?

– Acho.

– Por quê?

– Não sei. Só sei que vai. Todo mundo gosta de comer. A França tem negócio de fama mundial da gastronomia e caramujo. Pô, o povo COME caramujo lá. Vai tirar dez, Malu!

Arrã.

Papai sugeriu que meu trabalho fosse sobre a evolução da cobertura futebolística e ainda desenvolvesse sobre o futebol ser o ópio do povo. Confesso que não entendi direito o que ele quis dizer com "ópio do povo", fiz que sim com a cabeça, mas obviamente nem cogitei escrever sobre isso. Até hoje não tenho ideia do que é impedimento e só sou Botafogo porque gosto da estrela. Quer dizer...

Apelei pra Alice, minha BFF desde sempre, que continua BFF mesmo a gente morando longe e estudando em faculdades diferentes. Morro de inveja dela. Quando resolveu fazer veterinária já sabia que seu TCC seria sobre a ajuda dos animais em tratamentos psiquiátricos. A Alice sempre foi o oposto de mim: boa aluna, estudiosa, leitora voraz, inteligente pra caramba, determinada, segura, paciente, zen, zero ansiosa. Praticamente uma monja budista.

– Por que você não fala sobre a ditadura da magreza no mundo da moda e a repercussão disso na mídia? Estuda os estilistas que têm feito bonito levando modelos *plus size* pra passarela! Separa o que já saiu sobre o assunto nas revistas, nos livros. Aí você analisa o impacto disso na sociedade. Que é que você acha?

Não tinha nada para falar, a não ser:

– Alice, casa comigo!

– Bagunceira do jeito que você é? Não, brigada.

– Cara, eu posso mesmo fazer um trabalho legal sobre isso.

– Mais que legal, você vai fazer um trabalho relevante.

– Ai, como você fala difícil.

– Relevante é difícil? Sério? Malu, cê tem certeza que quer trabalhar com a língua portuguesa, cara?

Amiga é isso aí. Dá ideia boa, elogia mas também dá leves (e merecidas) broncas.

– Tô até com vontade de ler seu TCC quando ficar pronto – revelou. – Tem tudo pra ser uma leitura superinteressante.

Eu estava há meses pensando e em questão de segundos a minha melhor amiga resolveu pra mim o tema do TCC.

– Vai falar de anorexia no seu TCC? Assunto deprê, baixo-astral. Tinha que ser ideia dessa Alice.

– Quem falou em anorexia? Você não ouviu o que eu disse? Vai ser sobre um assunto que gera interesse, angústia, incômodo. Por que eu não posso ter três quilos a mais e ser feliz? Cinco, que seja.

– Você está muito acima do seu peso, muito mais que cinco quilos, filha.

– E daí? E daí se eu vou perder algumas roupas, mas voltar a ser feliz sem dietas malucas? E daí se algum garoto idiota não quiser nada comigo porque não estou no padrão de beleza das revistas? E daí se eu nunca vestir 36? E se meu metabolismo for lento a vida toda e eu tiver que lidar com isso? Isso não pode ser deprimente. Isso tem que ser muito discutido, debatido, mudado! Cada um é cada um e o mais bonito do ser humano não tá fora, tá dentro dele.

Mamãe ficou me olhando imóvel. Parecia nem respirar. Lá vinha bronca.

– Ô, filha, que orgulho a mamãe tem de você. Faz sobre isso, sim, seu TCC vai arrasar! Você está certíssima, essa chata dessa Alice também, nunca achei que diria isso na vida, mas que ideia ótima ela deu pra você, filhota.

Dito isso, minha progenitora me puxou para um abraço apertado como havia muito ela não fazia.

– Mamãe vai chorar tanto quando você apresentar seu TCC... Vou aplaudir, levar pompom, faixas... Haja lenço de papel. Vai ser épico.

Pronto. A preocupação com o TCC foi substituída pela preocupação com o mico da minha mãe na apresentação. Que vergonha, meu Deus! Nem tive coragem de mandar um "fala sério" pra ela. Dona Ângela Cristina estava tão orgulhosa de mim que acabei ficando felizona por ela. E por mim, por ter uma mãe babona dessas. Ela ia chorar no dia da apresentação. E eu...

Bom... eu já estava chorando.

Festa-surpresa e outras surpresas

Depois que eu saí de casa a relação com a minha mãe ficou melhor. Mais que melhor. Muito, muito melhor. Nunca achei que isso pudesse acontecer, mas acredito que o não convívio diário e intenso acabou aplacando nossos ânimos e nossos gênios. A saudade parece que fez aumentar o amor, o carinho... Pasme, mas a distância, por menor que seja, acabou nos aproximando.

Nunca falei ou tive tanta vontade de falar com a minha mãe como agora. Ouvir sua voz, contar como foi meu dia, saber do dela. De fora e de longe, é tão bom olhar pra ela e ver o quanto amadureceu, o quanto está sempre correndo atrás, querendo agradar a todo mundo, dar seu melhor para mim e pros meus irmãos. Do nada, do dia pra noite, senti o maior orgulho da minha mãezinha e de tudo o que ela representa na nossa história. Não que eu não tivesse orgulho antes, mas agora eu não durmo e acordo com ela todos os dias, não me sinto na obrigação de dar satisfação a ela. Pelo contrário, adoro ligar lá pra casa pra contar da minha vida e saber que ela tá sempre lá, torcendo por mim e doida pra ouvir tudo, tim-tim por tim-tim. Acho que isso seria impossível de acontecer uns três anos atrás.

É... Acho que também dei uma boa amadurecida. Que bom!

Para celebrar mais um ano da minha progenitora, aproveitando esse momento paz e amor que estávamos vivendo, combinei com meus irmãos de fazer uma festa-surpresa pra ela. Era só tirá-la de casa que eu entraria com a Alice para decorar e receber os amigos dela.

Tudo certo, mas no dia da festa (que fizemos na antevéspera do aniversário pra ela não desconfiar), aconteceu um imprevisto: nosso repórter aéreo não pôde ir, os outros dois da equipe estavam na rua e alguém precisava voar para dar notícias do trânsito para os ouvintes.

– Vai lá, Malu! – ordenou Mauricio.

– Mas Mauricio... É aniversário da minha mãe e...

– E você não pode entrar no helicóptero e ter sua primeira chance como repórter? Você acha que a sua mãe não ia gostar disso?

Pensei bem e um sorriso brotou no meu rosto só de imaginar minha mãe me ouvindo na rádio falando sobre os engarrafamentos.

E o frio na barriga de andar de helicóptero? E o medo de fazer errado?

– Mauricio, é ao vivo... eu não sei se dou conta...

– Claro que dá. Eu não te mandaria se achasse que você não dá conta. Você tá super-habituada com o microfone, com tempo de rádio, impostação de voz. É só contar o que tá vendo lá de cima e dizer os melhores caminhos para evitar tráfego pesado.

Não pensei duas vezes e fui. Chegaria um pouco atrasada para a festa da minha mãe, mas seria por uma boa causa. Avisei pra Alice que eu iria me atrasar, mas que ela fizesse tudo como o combinado – e sintonizasse na rádio, claro.

Alice passou a tarde decorando a casa, servindo salgadinhos aos amigos da minha mãe e dando as instruções para a hora H...

Quando Malena avisou que eles estavam chegando, minha melhor amiga escondeu todo mundo pela casa, a casa onde eu fui tão feliz e...

– Surpresaaaa! – gritaram todos, bem como planejei.

No céu limpo do Rio, com nós gelados dentro da barriga, as mãos de chafariz e a respiração acelerada, lá estava eu em duas estreias: de repórter e de helicóptero.

– Vamos saber como tá o trânsito nesse momento. É com você, Malu Siqueira da Paz!

Respirei fundo, apertei o microfone, olhei pra cidade mais linda e engarrafada do mundo aos meus pés, e falei, segura:

– Obrigada, Marcinha! Bom, tá tudo parado na Jardim Botânico. Lagoa é a melhor opção pro motorista que vai pra Zona Sul, mas atenção, tanto pra quem vai pra Barra quanto pra Copacabana, a Borges de Medeiros é a melhor opção, já que a Epitácio tá toda congestionada por conta de um acidente envolvendo três carros.

Até daqui a pouco com mais informações do trânsito. É com você, Marcinha!

Depois da minha estreia, eu gritava tanto, mas tanto, que o piloto até riu da minha empolgação.

Fiz mais duas entradas e depois fui correndo pra minha antiga casa apertar a futura aniversariante.

Quando cheguei, voei pros braços dela e desejei tudo o de melhor.

– Você fez sua estreia como repórter, minha filha?

– Foi, mãe!

– E você estava num helicóptero!

– É mãe! – respondi, peito inflado.

– E como é que você tem coragem de entrar num treco desses sem falar com a mamãe? A mamãe morre de medo de altura, você sabe! – estrilou, dando repetidos e cômicos tapinhas nos meus braços. – Mas, parabéns, minha filha! Você parecia uma profissional que faz isso há anos! Que orgulho que me deu! – elogiou, olhos marejados.

A gente se abraçou mais forte ainda. Meus irmãos chegaram e deram comigo um abraço coletivo na nossa mãe.

– Tá tudo impecável, minha filha. Vocês capricharam.

– Mãe, o mérito é todo da Malu. A gente não fez nada, só te levou pra sair – contou Mamá.

– Não que a gente não te ame, mãe – explicou Malena. – É que a Malu é controladora e não sabe dividir tarefas. Então deixou a gente de fora de propósito. Fez tudo com a Alice.

Mamãe se espantou sinceramente.

– Com a Alice?

– Com a Alice, mãe – confirmei. – E hoje, na verdade, o mérito é todo dela. Ela pediu pra sair mais cedo da clínica onde tá estagiando pra vir preparar tudo.

A festa foi tão boa, tão leve e pra cima. As amigas da mamãe se animaram, dançaram, se divertiram, se zoaram, riram. Eu, Mamá e Malena nos revezamos como DJs botando só músicas que mamãe adora, de Fabio Jr. a Frank Sinatra, passando por Chico Buarque, Julio Iglesias, Menudo, Caetano, Donna Summer, Spandal Ballet, Eurythmics, The Pretenders, Seu Jorge... Tudo combinando com os petiscos, claro. Ovinho de codorna, Seu Jorge. Coxinha, Julio Iglesias. Pipoca, Menudo. E por aí foi.

No fim, quando apenas eu e Alice dançávamos na sala, mamãe nos puxou para um canto sem música alta.

– Fiquei sabendo que hoje o mérito é todo seu e...

– Que nada, tia.

– Não, é sim e eu quero te agradecer, Alice.

– Imagina, tia, fiz com amor, a Malu é como uma irmã pra mim.

– Eu sei. E você também é uma irmã pra ela. Muito obrigada por cuidar dela tão bem nesse tempo todo.

– Ah, tia, para com isso!

– Paro não. Eu sei que implico com você, e acho que é só porque você deu esse apelido medonho pra ela. Abreviação de maluca.

Alice e eu nos entreolhamos.

– Tudo bem. Acho que sou a única no mundo inteiro que chama essa garota pelo nome. E nunca vou deixar de chamar!

Nós três rimos, cúmplices.

– Vocês já provaram que a amizade de vocês é um tesouro. Cuidem bem dela porque é pra sempre. Vem cá me dar um abraço, Alice, desculpa ser tão chata tanto tempo, juro que vou ser mais legal daqui pra frente.

– Vai ser legal, né?

– Isso, filha. Vou ser legal com a Alice. Eu julgando tanto e olha aí: mesmo lidando comigo rabugenta e implicante, ela fez tudo pra mim hoje. Isso que é coração, menina.

Foi bonito presenciar aquela cena. Emocionada, vi outra coisa inédita acontecer naquela data: mamãe, mais maneira e mais lúcida que nunca, se declarar para minha melhor amiga. Aquele dia foi, definitivamente, o melhor dia da minha vida. Vida que tá só começando.

Figurinha repetida

O tempo passa e nada de encontrar um boy pra chamar de meu. Encontrei com o ex de um passado distante numa festa e não rolou química. Fiquei meio borocoxô e dividi a angústia com as amigas.

– Não ia ser legal reviver um encontro? Redescobrir uma pessoa? – filosofei.

– Figurinha repetida não completa álbum, Malu – opinou Bené.

– Eu não ligo de pegar gente repetida.

– Claro, Helô, você pega quem você quiser! – falei, olhando pra minha amiga, a mais nova solteira da praça e também a mais bonita, da bocona, da pele preta e do cabelo encaracolado sempre adornado com um enfeite bonito. A que tinha o sorriso mais doce que eu conhecia.

Os caras simplesmente babavam pela Helô. Por essa razão, era sempre ela quem se dava melhor quando a gente ia pra balada.

– A gente tem que pegar os que a Helô não pega, Malu, tem que ficar na rebarba dela. Agora que tô solteira de novo, só vou pegar quem ela não quiser – completou Bené.

Helô se divertia com a gente. Mas não era exagero, Helô não é só bonita, é uma força da natureza. Mulherão.

Saí da faculdade e fui almoçar rapidinho em Botafogo, perto do metrô, antes de ir pra rádio. Quando dei minha primeira garfada...

– Malu?

– Lucas?

Lucas foi meu primeiro homem, ou seja, está na minha história pra sempre. Nosso namoro nunca andou muito, mas também nunca desandou. Nunca fomos perdidamente apaixonados, mas era muito bom estar junto.

– Lembro que era ótimo nós dois! Ai, que vergonha! Não acredito que disse isso – tapei minha boca com as duas mãos. Eu parecia uma pré-adolescente surtada com o crush que chega inesperadamente. – Oi, Lucas. Tudo bem? Ai, que vergonhaaaaa!

Lucas sorriu o sorriso mais bonito, mais branco e mais aberto que alguém já tinha sorrido.

– Era exatamente o que eu estava pensando. Como era ótimo nós dois.

Baixei os olhos, feliz com o texto do meu ex. Ele podia ter sido um idiota arrogante ou um fofinho apaixonante e se agarrou com a segunda opção, não sei se pra não me deixar constrangida ou se estava pensando isso mesmo.

– Por que a gente terminou? – falamos ao mesmo tempo.

Se o nome daquilo não era sintonia, não sei qual era.

– Quanto tempo faz? Uns três anos?

– Claro que não! Faz seis. Tinha 16 anos e lembro bem – corrigi.

– Desculpa. Você está com a mesma carinha, não mudou nada. Por isso achei que o tempo não tinha passado.

Fofoooo! Eu queria apertar a bochecha dele.

Lucas levantou-se e veio na minha direção. Eu me levantei e a gente se abraçou. Um abraço forte, longo. Terminamos o abraço, mas ele não se distanciou muito.

Mil vezes fofo.

Sorrimos, eu dengosa, ele sedutor, olhando bem dentro dos olhos.

– Pronto. Agora sim. E aí? Tá morando aqui perto?

– Tô na Urca!

– Tô no Flamengo.

– Pertinho! – fiquei feliz. – Quer sentar comigo e me fazer companhia?

– Só se for agora.

Ele foi pegar suas coisas na mesa ao lado e veio pra minha. Depois de três semanas – o mesmo tempo em que a gente ficou junto no passado, se não me engano, eu estava tão feliz. Queria falar com ele toda hora, estar com ele, ficar de mão dada com ele. Tava tão bom tudo.

Após um mês e vinte e dois dias com o Lucas, era chegada a hora de contar pra minha mãe, aproveitando que eu tinha marcado de fazer uma visitinha.

– Ah... tipo... Sabe o Lucas?

– Aquele que tirou sua...

– Esse mesmo. O da minha primeira vez!

– Sei – bufou, irritada.

– Pois é. Encontrei com ele perto da facul, a gente saiu um dia, saiu outro e não parou de sair mais.

– Arrã.

– Faz quase dois meses, mãe. Não é incrível?

– Ô...

– Já que você tá doida pra saber eu vou contar. Ele parou de trabalhar em loja e...

– Ah, não. Arrumou um desocupado pra namorar, Maria de Lourdes?

– Posso continuar?

– Pode, minha filha. Desculpa a mamãe.

– Então... Ele tá trabalhando como modelo direto. Tá arrebentando.

– Modelo? – questionou, com a mesma cara de desdém-quase-nojinho de anos atrás. – Faz o quê como modelo? Enfeita salão de automóvel, posa de modelo-vivo pra artista plástico...

– Já fez ensaio de seis páginas pra *Vogue*, tá em um livro do Testino, que é o melhor fotógrafo do...

– Eu sei quem é Mario Testino, Maria de Lourdes – mamãe me cortou, impaciente.

– Posou pra várias revistas de moda, fez comercial de cueca ostentando o tanquinho e até desfilar lá fora ele já foi.

– Entendi... E... Vocês estão se... Estão se rê... se reláááá... se relacion-n-nando assim... Intimamen...

– Nãããão! – disse, exagerando no ã mesmo. – Ele entrou pra uma seita que proíbe o sexo entre pessoas com menos de 50 anos. Pra eles, só depois dos 50, parece que é a idade da plenitude.

– Graças a Deus! Viva a seita maluca! Viva a plenitude.

– Tô zoando, né, mãe!? Claro que a gente tá se relacionando intimamente, que ideia!

Eu rachei de tanto rir, a cara da minha mãe estava hi-lá-ria! Mas ela não achou a menor graça. Saí da casa dela mais leve e com metade do bolo de banana da minha avó Dalva, o melhor do mundo. Que dividi com Lucas, que em tão pouco tempo já ocupava o posto de melhor namorado do mundo.

Medo do Futuro

O namoro com o Lucas engrenou. Já, já eu me formo e por isso começou a bater um pânico real do futuro. De como vai ser, se vou ser efetivada em um dos estágios ou se vou arrumar um emprego em outro lugar.

E que emprego vai ser esse? Vou ser feliz como meu pai? Que trabalha com esporte, que é o que ele mais ama e ainda consegue sustentar uma família e poupar dinheiro para a velhice? Ou será que vou ser como minha mãe, que luta com dificuldade ralando como assessora de imprensa, mas consegue trabalhar em casa e ter uma qualidade de vida legal? Será que vou dar conta de me sustentar sem pedir ajuda aos meus pais?

Desde que comecei a escrever sobre moda, maquiagem e estilo no jornal da faculdade, recebi muitos elogios dos professores. Por isso, por mais atolada que eu estivesse com estudos, casa e dois estágios, eu nunca deixei de escrever pra lá.

Um dos meus maiores incentivadores foi o Eriberto, professor de Filosofia e orientador do meu TCC. Ele me estimulava, indicando livros, artigos, vídeos, palestras. Quanto mais eu lia sobre o assunto, mais eu queria ler, um feito inédito na minha vida.

Sei que a gente tem que viver o presente e tal, mas quando o futuro tá batendo na nossa porta dá uma ansiedade louca, um frio na barriga sem igual. Ainda bem que eu não estava passando por tudo isso sozinha. O Lucas estava sendo um parceirão. Que cara incrível.

– Eu te amo tanto – falei assim que acordei, tonta de paixão, enquanto ele fazia o café da manhã.

É, o Lucas além de lindo faz café da manhã. Desculpaê.

– A agência quer me mandar pra Paris daqui a três meses, Malu. Pra ficar lá por pelo menos um ano e meio.

O susto pegou a paixão de surpresa e ela foi se esconder pra não ter que ouvir o resto da conversa. Assustada e muda, eu quis fazer mil perguntas, mas não consegui.

– Eles acham que eu tenho o perfil dos estilistas de lá, acham que eu posso fazer uma boa carreira internacional começando pela França. Se não der certo, eles tentam Londres, Milão ou Nova York antes de me mandar de volta pro Brasil.

Era muita informação para um sábado de manhã. Eu tinha ido dormir na casa dele e confesso que foi bem ruim ser bombardeada com esse bando de novidades sem estar na minha casa, no meu porto seguro.

Foi como se meu corpo fosse partido em dois. Um lado dele estava extremamente feliz por apostarem tanto no Lucas, o outro extremamente amargurado.

– Você tá me falando sobre uma possibilidade ou me comunicando o que vai acontecer?

Ele engoliu em seco.

Tava tudo tão bem entre a gente! Sei que seria egoísmo implicar com a ida dele, mas eu sou humana, poxa, claro, que eu queria ficar com ele, não separada dele.

– Eu... eu tô contando pra você o que vai acontecer, Malu...

Prendi o choro ao mesmo tempo que tive a nítida sensação de que o meu coração parou de bater.

– Você... Você quer ir comigo?

Foi a vez de cada metade partida minha ser quebrada em mil caquinhos. Pela surpresa, pelo impacto, pelas mil respostas que aquela pergunta podia ter.

O que eu ia fazer em Paris? E o que eu faria aqui, caso ficasse? O que minha mãe acharia da ideia de ter sua primogênita morando longe de verdade? O que meu pai pensaria a respeito de tamanha ousadia? Com que dinheiro eu iria? Vem cá, isso era um pedido de casamento? Ele queria mesmo minha companhia ou estava só sendo educado?

– Quero ir ao banheiro. Pera.

Saí correndo e me tranquei como se estivesse fugindo há horas de uma gangue perigosa, de tão rápido que batia meu coração. Ofegante, sentei no vaso e tentei botar as ideias no lugar. Aquilo não era sonho, estava realmente acontecendo. O cara que mais mexeu comigo na vida estava me chamando para morar com ele em outro continente. E eu ia me formar dentro de pouco mais de um mês.

Meu Deus, tudo muda mesmo o tempo todo, não é música nem tampouco conversa de pai e mãe. E a vida é mesmo uma caixinha de surpresas, não é papo de jogador de futebol.

Mudar de bairro já foi tão representativo na minha vida... Mudar de cidade, de país, sem falar a língua, sem conhecer ninguém, sem ter o que fazer...

– Desculpa atrapalhar aí o que você tá fazendo mas... – começou ele, do lado de fora do banheiro, obviamente. – Eu tô com muito medo de ir sozinho, Malu. E também não quero te deixar aqui. Sou muito apaixonado por você. Sei que tá cedo, que pode parecer egoísmo, acho que é, na verdade, sei que a gente namora há menos de um ano, sei que todo mundo vai achar uma maluquice, mas pra mim é difícil pensar em existir sem você do lado.

Quase morri ouvindo essa última frase. Levantei lentamente, lavei o rosto e abri a porta para dar nele um abraço apertado.

– Eu não posso decidir isso assim, de uma hora pra outra. Tem muita coisa envolvida.

– A agência paga um apezinho. É pequeno, mas é bem localizado, perto do metrô, e onde cabe um, cabem dois. E a gente ainda pode fazer um esquema, pensa só. Enquanto você não arrumar trabalho, eu me responsabilizo pelas contas.

– Nem pensar! Eu tenho minhas finanças, pouca coisa, mas tenho. Quero depender de ninguém, Lucas.

– Calma, quem falou em depender? Deixa eu continuar! Eu ia falar que quando você arrumar um trampo a gente começa a dividir tudo – começou ele. – Enquanto eu faço minhas coisas, você podia estudar Francês e catar uns cursos, você vai estar na meca da moda. De repente, consegue até uma bolsa.

– Aí eu começo a ver vantagem! – falei, imensamente feliz com a possibilidade de aprender sobre moda na capital mundial da moda e, de quebra, morar com o cara mais incrível do mundo. – Mas e se tudo der errado? Dormir e acordar junto não é fácil, não, viu?

– A gente não pode pensar nisso quando der errado? Se der errado?

Sorri envergonhada com a maturidade do Lucas.

– Pode!

E a gente se beijou com tanto carinho e paixão ao mesmo tempo que quase flutuei. Eu me senti amparada e acolhida pelos braços fortes do meu namorado.

– Isso não quer dizer que a gente vai casar, né?

– Pra que dar nome, Malu? Precisa mesmo de rótulo? A gente não pode ser apenas um casal que decide viver uma aventura na Europa pra ver qual é?

– Um casal que se joga?

– Um casal que só quer ser feliz.

É. Um casal que só quer ser feliz.

E uma mãe como a minha? Ficaria ou não feliz com uma notícia dessas?

Começar de novo

A formatura foi animada como toda formatura deve ser. Com choros, e risos, e abraços de gente querida que tinha um pensamento em comum: querer que todo mundo que estava ali se desse bem na escolha que fizesse.

Eu viajaria no fim do mês seguinte e não tinha contado ainda para dona Ângela Cristina.

– Quando você vai contar pra sua mãe, Malu? Todo mundo já sabe, menos ela. – Lucas fez pressão.

– Todo mundo nada. A Malena e o Mamá nem sonham e a Patrícia, namorada do meu pai, não tem ideia também.

– Ainda bem, né? Se ela soubesse, sua mãe deserdava você e nunca mais olharia na sua cara.

A verdade é que minhas amigas já sabiam, até uma pessoa pra colocar no meu lugar elas já tinham arrumado. O Mauricio, meu chefe na rádio, também sabia. Foi o primeiro a saber e agiu da maneira mais incrível que um chefe que acredita no seu pupilo pode agir.

Perguntou se eu não queria fazer pílulas de moda durante a programação, falando sobre Paris, o que fazer lá, o que estudar e tal, e textos maiores para alimentar o site da rádio, com direito a imagens e a um texto mais pessoal, bem coloquial.

Parecia um sonho. Eu não ganharia muito, mas tampouco iria com uma mão na frente e outra atrás. Meu pai também me deu muita força, adiantou um monte de mesadas para eu ir com uma graninha pra qualquer emergência.

– Mãe, preciso falar com você – puxei ela num canto, já que ela estava dançando tal qual uma iguana com urticária.

Ela veio tão, mas tão felizinha!

– Minha filha, que orgulho que eu tô de você. Quantos professores te elogiando. Quem diria, hein? Péssima aluna no colégio, ótima na faculdade. Agora o mundo é seu, Maria de Lourdes.

– Pois é sobre isso que eu quero falar. Sobre o mundo – disse, sem nada melhor pra dizer. – Sabe a Europa?

Eu sei, sou uma idiota.

– Fala sério, né, filha? Dââ!, como você dizia quando era mais novinha.

Que triste e estranho e esquisito e desconfortável e reticente e inédita e esperada (pra mim), inesperada (pra ela) era a conversa que estava pra acontecer.

– Então... Eu... Eu... – respirei fundo e revelei num fôlego só: – Eu tô indo morar lá com o Lucas no fim do mês que vem.

– Você o quê, Maria de Lourdes? – ela rebateu sem pensar.

E eu disparei:

– O Lucas me chamou pra morar com ele um tempo em Paris e eu achei que valia a pena ir porque eu posso estudar sobre moda e me especializar no assunto e conseguir trabalhar com isso aqui ou lá e enquanto ele trabalha e faz teste eu estudo e eu estudo e ele trabalha então é isso mesmo eu vou com ele porque acho que vai ser bem bom acho não, vai ser bem bom sim.

Ela olhou para o lado assim que terminei minha verborragia sem pausa para respirar.

– Não diga sandices, Maria de Lourdes!

– Não é sandice. É verdade. Vou passar um tempo em Paris. Estudando.

Mais outra virada para o lado. Para o oposto agora.

– Europa tem terrorismo, você sabe.

– Tô sabendo, mãe.

– E francês não toma banho direito, o metrô fede a molho de cachorro-quente, não dá pra você ser amiga de gente fed...

– Mãe! – bronqueei.

Ela coçou o nariz repetidas vezes, botou os cabelos para trás das orelhas.

– Você tem certeza, Maria de Lourdes?

Olhando fundo nos olhos dela, respondi:

– Tenho.

– Com que dinheiro você vai?

– Com uma grana que eu guardei e com uma que o papai vai me adiantar, dar, sei lá.

– Como é que é, Maria de Lourdes? O seu pai o quê? Eu sou sempre a última a saber? É isso mesmo?

Naquele instante, eu me arrependi muito (muito, muuuuito mesmo) de não ter falado antes pra ela. Minha mãe estava se sentindo profundamente traída. Eu só não queria que ela se preocupasse demais, queria que ela acreditasse que ia ser pro meu bem, que eu ia virar uma pessoa melhor depois dessa experiência...

– E se você quiser ficar lá e nunca mais voltar?

– Aí a gente pensa quando acontecer, né, mãe? *Se* acontecer – reagi, seguindo a cartilha do Lucas.

Namoro bom é assim, quando a gente aprende um com o outro. E quando o que a gente aprende torna o diálogo bem mais leve com a sua mãe.

– Mas independentemente de dar certo ou errado, você vai ter, por um tempo, um lugar pra ficar de graça, eu disse DE GRAÇA! Em Paris. Pa-ris!

Imediatamente os olhos dela brilharam, mas logo em seguida ficaram opacos.

– Você está cogitando isso ou está me avisando que vai morar fora?

– Eu... Eu tô avisando, mãe... – admiti, cabeça baixa.

Ela baixou também, mas logo levantou, respirou fundo e levantou meu queixo com a ponta do indicador.

– Maria de Lourdes, eu queria falar mil coisas pra você não ir, ter mil argumentos, coerentes ou não, pra fazer você ficar. Mas a gente cria filho pro mundo, né? E por mais estapafúrdia que eu ache essa ideia, você e o Lucas são muito bacanas juntos. São amigos e parceiros e ele é um rapaz de muito boa índole. E que te ama, minha filha.

Comecei a chorar.

– Vai, meu amor – ela disse, do fundo da alma. – Daqui a uns dias eu paro de ficar irritadíssima por você ter contado primeiro pro seu pai – alertou, fazendo a engraçadinha.

– Juízo você aqui, solteira, soltinha, toda na balada pronta pra pegar. Meus irmãos estão de olho.

– Ah, Maria de Lourdes, faz-me rir. Não tenho pegado nem resfriado!

Acho que eu e a mamãe estávamos sentindo a mesmíssima coisa: um vulcão, um maremoto, um meteoro caindo dentro da barriga, da cabeça, do coração. Tudo pulsava, por coisas boas e por coisas não tão boas assim. Medo e insegurança versus vontade de ir e acertar. Fazer acontecer.

– Na pior das hipóteses, vai ser uma experiência que você vai levar pra vida toda, minha filha. E vai finalmente dar valor ao Francês que mamãe te matriculou na marra. Se não fosse eu nem *bon jour* você saberia dar.

Engoli o Fala sério, mãe! que estava na ponta da língua e voei no pescoço dela. Nunca foi tão aconchegante sentir de perto o cheiro do cangote da minha mãezinha. Eu não queria sair tão cedo dali, daquele pedaço de pele chamado conforto.

Pra arrematar todo o amor que eu estava sentindo, mamãe filosofou:

– O mundo é pra quem se atreve, meu amor. Seja feliz, que a mamãe vai ser dez vezes mais.

E eu fui. Pronta pra agarrar essa tal felicidade.

23 anos

Vivendo e aprendendo

Paris é linda como dizem, lotada de turistas como reclamam, e as parisienses são mesmo elegantes de berço. Todas. Impressionante. São naturalmente *cool*, não fazem esforço nenhum para serem a junção de charme e estilo.

De longe, eu jamais suspeitaria, mas a Cidade-Luz pode ser bem hostil de vez em quando. Principalmente nos primeiros meses, quando tudo é novo e estranho ao mesmo tempo. É todo dia meio cinza, um cinza quase triste, que não ajuda a aplacar a saudade de casa.

Estamos comemorando um ano na capital francesa.

Por conta da carreira do Lucas, ganhamos amigos de várias nacionalidades e trocamos com eles experiências, vivências, medos, dúvidas.

Lucas e eu... bem... Por mais que eu não acredite em príncipe encantado, eu torci muito para que ele fosse não um príncipe, mas o cara legal mais legal que um cara legal possa ser. A representação de cara legal. O cara cujo crachá diz CARA LEGAL. E o Lucas é muito mais que um cara legal! Ele é o meu cara legal, e isso faz toda a diferença.

Se na bolsa de apostas era certo que nós iríamos nos separar em menos de três meses, na vida real nunca fomos tão plenos. Jovens demais, bebês, como diz minha mãe, mas muito felizes brincando de marido e mulher. Brincando pra valer, que fique claro. Querendo acertar, querendo evoluir. Somos tão namorados, tão parceiros, tão apaixonados...

Consegui um estágio num curso de Português para franceses no Marrais, um bairro descolado onde se encontra meu lugar preferido no mundo, a Place des Vosges. Lá, leio sobre moda, tomo um sorvete e observo as pessoas.

A salinha em que eu trabalhava no começo era pequenininha e claustrofóbica, mas eu ia toda-toda trabalhar. A minha remuneração nunca foi dinheiro, mas aulas de Francês. E foi muito legal conseguir ler em francês, ver séries em francês, filmes franceses e ouvir muita, muita música francesa, de todos os tempos! Carla Bruni, Zaz, Dalida, Aznavour, Fréro Delavega, Serge Gainsbourg, Françoise Hardy... Que língua linda!

Sobre o site da rádio... Bem... Acabei me empolgando com os posts, escrevia cada vez mais, botava mais fotos (eu caprichava, até uma câmera eu comprei pra fotografar), mais personalidade no texto, mostrava diferentes lugares da cidade onde todo mundo sabe pelo menos dez (dez!) coisas "im-per-dí-veis!" pra fazer. E com isso fui chamando a atenção. Aquele espaço, totalmente sem querer, estava virando um blog de viagens, comportamento, sei lá. Uma espécie de blog de uma brazuca na França.

Lucas – que é um modelo e tanto e batalha muito para pegar trabalhos legais, me matando de orgulho – começou a botar pilha para eu fazer uma versão bilíngue dos posts. Assim, treinaria escrever em Francês e arrebanharia mais leitores. Dito e feito. E os amigos dele da moda começaram a ler e a espalhar, e a corrigir meus vários errinhos.

Um belo dia, Mauricio ligou perguntando o que eu achava de cobrir o desfile da Miu Miu. Eu faria imagens e postaria no portal da rádio ilustrando um texto recheado de humor, minha "marca registrada", segundo ele. Topei na hora e só não dei um grito de 87 segundos porque tenho bom senso e não queria estourar os tímpanos do meu chefe.

Quase não entrei no desfile, fui olhada de cima a baixo por metade dos presentes, fui ignorada pela outra metade, por pouco não sentei, fiquei na última fila, atrás de uma girafa de dois metros de altura. Mas aprendi a me impor aos poucos, passei a cobrir os desfiles masculinos e o Lucas me botava pra entrevistar os colegas e sempre rendia papos muito divertidos, já que todo mundo entrevista só as modelos e sempre com as mesmas perguntas.

Eu queria saber se eles se achavam os caras mais lindos e poderosos do mundo na hora de posar pros fotógrafos, se eles tinham chulé, se achavam normal fazer número 2 perto das namoradas, tipo numa viagem, se já prometeram ligar no dia seguinte, mas não cumpriram a promessa, que parte do corpo eles lavavam primeiro no banho, e por aí vai.

Os ouvintes/leitores começaram a mandar sugestões de perguntas, acabei conhecendo vários modelos, famosos e em início de carreira, e fiz amizade com alguns. As coisas foram de vento em popa e minha mãe se desesperou, certa de que eu nunca mais volto pro Brasil.

Se eu vou voltar? Não sei. Sei que não vou mexer em time que está ganhando. Tá difícil? Tá. Pensamos em desistir nos dias mais frios de inverno? Muitas vezes – e também em dias de outono e primavera e verão.

– Você não arruma um namorado francês pra mim, não, Maria de Lourdes? Aprender Francês com namorado é sempre a melhor aula. Mistura de conhecimento com... diversão – soltou, sapeca, durante nosso papo por vídeo.

– Fala sério, mãe! Olha o respeito, eu sou sua filha! Não quero imaginar você de saliência com nenhum francês, entendido?

Explodimos numa gargalhada. Papéis invertidos. Estava acontecendo cada vez com mais frequência, cada vez mais natural, cada vez com mais afeto.

Crescer pode até doer, mas, ô, como é bom. Com a mãe do lado, mesmo que longe, aí... aí é a melhor coisa do mundo!